RA업무 정리노트 품질 CTD (M3) 규정집

발 행 | 2024년 05월 21일

저 자 | 실험실쥐

펴낸이 | 한건희

펴낸곳 | 주식회사 부크크

출판사등록 | 2014.07.15(제2014-16호)

주 소 | 서울특별시 금천구 가산디지털1로 119 SK트윈타워 A동 305호

전 화 | 1670-8316

이메일 | info@bookk.co.kr

ISBN | 979-11-410-8605-3

www.bookk.co.kr

FAQ

Q) 뭐 하는 사람인가요?

A) 한양대학교에서 생물학을 전공하고, 제약 및 임상시험 산업에서 RA(Regulatory Affairs) 직무에 종사하고 있는 실험실쥐 [https://blog.naver.com/lab-rat] 라고 합니다.

Q) 출판물을 만드는 이유가 뭔가요?

A) 지식을 정리하는 걸 좋아합니다. 그러다 보니 전공이나 업무관련해서 여러 정리노트들을 만들어 왔는데, 우연한 기회에 개인출판을 알게 되어 실물 종이책으로 만들면 재미있겠다고 생각했습니다.

하여, 전공지식이나 업무관련 정보 중 기밀과 무관한 규정집이나 용어집 등을 출판물로 만들고 있습니다.

현재까지는 크게 "손으로 쓴 생물학 노트"와 "RA 업무 정리노트"를 시리즈로 만들고자 노력하고 있습니다.

부디 제 책이 어떤 방식으로든, 아주 조금이라도 도움이 되셨기를 깊이 바라겠습니다.

Q) 이 책을 만든 이유는 뭔가요?

A) 의약품의 개발생애와 성분-규제적인 분류 (합성의약품, 생물의약품, 첨단의약품)에 따라 CTD 에 대한 규정이 여기저기 흩어져 있다 보니, 이를 하나로 모아서 CTD number 에 따라 묶어 정리하면 보기 편할 것 같다는 생각이 들어 제작하게 되었습니다.

Q) 책의 품질이 왜 이 모양인가요?

A) 1 인 가내수공업으로 제작되다 보니 기획, 구성, 검토부터 디자인까지 모두 제 실력이 부족한 탓입니다. 혹시 "이 부분은 오류가 있다." 내지는 "이 부분은 이렇게 개선하면 좋겠다."라는 의견이 있으시다면 [lab-rat@naver.com] 으로 성함(혹은 필명)과 함께 의견을 남겨주시면,

개정시에 최대한 반영하고, 뼈에는 새기지 못하더라도, 책의 말미 "감사한분들"란을 만들고 이에 새겨 길이 감사함을 잊지 않도록 하겠습니다. 🙇

Q) 어떤 도구로 작업하시나요?

A) 노트북과 아이패드 그리고 펜타블릿을 사용합니다.

목차

3

Ⅰ. 개발단계와 의약품 분류에 따른 CTD 항목별 규정집

3.1. 자료목차 / TABLE OF CONTENTS

3.2. 본문 / BODY OF DATA

3.2.S. 원료의약품 / DRUG SUBSTANCE
(임상시험용의약품의 화학적 및 약제학적 품질에 관한 정보 / BODY OF DATA)

3.2.S.1. 일반정보 / General Information

3.2.S.1.1. 명칭 / Nomenclature

Regulation and Guideline : IND-의약품

원료의약품의 명칭에 관한 정보를 기재해야 한다.(예: INN-명, 약전 수재명, 화학명 [IUPAC, CAS-RN], 실험실 코드, 이명 또는 코드) 비-방사성의약품을 개발하기 위해 제1상 시험에 방사성-핵종 또는 방사성-표지 물질을 사용할 경우, 방사성-핵종 또는 방사성-표지 물질을 추가로 서술한다.
방사성-핵종은 동위원소 유형을 서술해야 한다.(IUPAC-명칭)
방사성-핵종 제너레이터(generator)는 방사성-핵종 및 딸 방사성-핵종 모두 원료의약품으로 간주한다. 방사성-표지를 위한 키트의 경우, 방사성-표지 산물뿐만 아니라 방사성-핵종을 전달하거나 방사성-핵종과 결합하는 제형 부분을 서술한다. 유기-화학적 전구물질은 원료의약품과 동일하게 정보를 기재한다.

Regulation and Guideline : IND-생물의약품

원료의약품의 다음과 같은 정보를 기재한다.
• 국제일반명칭(INN: International Nonproprietary Names for Pharmaceutical Substances):
• 공정서 수재 명칭
• 등록된 명칭
• 회사 코드
• 그외 명칭 또는 코드

Regulation and Guideline : NDA-의약품

Information on the nomenclature of the drug substance should be provided. For example:
• Recommended International Nonproprietary Name (INN);
• Compendial name if relevant;
• Chemical name(s);
• Company or laboratory code;
• Other non-proprietary name(s), e.g., national name, United States Adopted Name (USAN), Japanese Accepted Name (JAN); British Approved Name (BAN), and
• Chemical Abstracts Service (CAS) registry number.

원료의약품의 명칭에 대한 정보를 기재한다. 예를 들어
. 국제일반명칭(INN: International Nonproprietary Names for Pharmaceutical Substances);
. 공정서 수재품목은 그 수재명;
. 화학명;
. 회사 또는 실험실 코드;

- United States Adopted Name(USAN); Japanese Accepted Name (JAN); British Approved Name(BAN);
- Chemical Abstract Service(CAS) 등록번호를 기재한다.

Regulation and Guideline : NDA-생물의약품

원료의약품의 명칭에 대한 정보를 기재한다. 예를 들어
- 국제일반명칭(INN: International Nonproprietary Names for Pharmaceutical Substances);
- 공정서 수재품목은 그 수재명;
- 화학명;
- 회사 또는 실험실 코드;
- United States Adopted Name(USAN); Japanese Accepted Name (JAN); British Approved Name(BAN);
- Chemical Abstract Service(CAS) 등록번호를 기재한다.

Regulation and Guideline : NDA-첨단의약품

NDA-생물의약품과 동일

3.2.S.1.2. 구조 / Structure

Regulation and Guideline : IND-의약품

각각의 임상 개발 단계에서 수집된 자료를 기재한다. 구조식, 분자량, 규명이 가능한 키랄성/입체화학을 포함하여 기재한다.
비-방사성의약품을 개발하기 위해 제1상 임상시험에 방사성-핵종 또는 방사성-표지 물질을 사용하는 경우, 방사성-표지 전 및 (밝혀져 있으면) 후의 구조식을 기재한다.
방사성의약품 조제용 키트의 경우, 방사성-표지 전 및 (밝혀져 있으면) 후 리간드의 구조식을 기재한다.

Regulation and Guideline : IND-생물의약품

해당사항이 있는 경우 예측되는 구조에 대한 간략한 설명을 기재한다. 고차 구조, 당화위치를 포함한 아미노산 서열 등. 임상진행에 따라 추가된 정보를 기재한다.

Regulation and Guideline : NDA-의약품

NCE:
The structural formula, including relative and absolute stereochemistry, the molecular formula, and the relative molecular mass should be provided.

Biotech:
The schematic amino acid sequence indicating glycosylation sites or other post-translational modifications and relative molecular mass should be provided, as appropriate.

상대적 및 절대 입체화학적 특성을 포함한 구조식, 분자식 및 분자량을 기재한다.
생물의약품 :
당화 위치 또는 단백질 해독 후 변형(post-translational modification)을 표시하여 도식화한 아미노산 서열과 상대 분자량을 적절히 기재한다.

Regulation and Guideline : NDA-생물의약품

상대적 및 절대 입체화학적 특성을 포함한 구조식, 분자식 및 분자량을 기재한다.
생물의약품 :
당화 위치 또는 단백질 해독 후 변형(post-translational modification)을 표시하여 도식화한 아미노산 서열과 상대 분자량을 적절히 기재한다.

3.2.S.1.3. 일반적특성 / General Properties

Regulation and Guideline : IND-의약품

원료의약품의 물리-화학적 및 기타 관련 특성, 특히 용해도, pKa, 결정 다형, 이성질체, log P, 투과도 등과 같이 약리학적 또는 독성학적 안전성에 영향을 줄 수 있는 물리-화학적 특성에 대한 목록을 기재한다.
방사성-핵종은 핵과 방사선물리학적 특성을 서술한다.

Regulation and Guideline : IND-생물의약품

원료의약품의 물리화학적 특성, 생물학적 활성(즉, 제품이 미리 정의된 생물학적 효과를 수행하는 특이적 능력 등) 및 기타 중요한 특성을 기재한다. 예상되는 작용기전을 기술한다.

Regulation and Guideline : NDA-의약품

A list should be provided of physicochemical and other relevant properties of the drug substance, including biological activity for Biotech.
Reference ICH Guidelines: Q6A and Q6B

물리화학적 특성 및 기타 중요한 특성에 대해 기재한다.
생물의약품의 경우 생물학적 활성을 포함한다.

Regulation and Guideline : NDA-생물의약품

물리화학적 특성 및 기타 중요한 특성에 대해 기재한다.
생물의약품의 경우 생물학적 활성을 포함한다.

Regulation and Guideline : NDA-첨단의약품

NDA-생물의약품과 동일

3.2.S.2. 제조 / Manufacture

3.2.S.2.1. 제조원 / Manufacturer(s)

Regulation and Guideline : IND-의약품

수탁업소와 각 사업소를 포함하여 제조 및 시험에 관여하는 모든 제조원의 명칭, 주소 및 책임 범위를 기재한다.
비-방사성의약품을 개발하기 위해 제1상 시험에 방사성-핵종 또는 방사성-표지 물질을 사용하는 경우, 제조원을 서술한다. 방사성의약품은 방사성의약품 전구물질 및 비-방사성 전구물질의 제조원을 서술한다.

Regulation and Guideline : IND-생물의약품

제조, 시험 및 배치 출하에 관련된 모든 제조원, 수탁 업체 등의 명칭, 주소, 책임부과범위(Responsibility)를 기재한다.

Regulation and Guideline : NDA-의약품

The name, address, and responsibility of each manufacturer, including contractors, and each proposed production site or facility involved in manufacturing and testing should be provided.

제조 및 시험에 관한 모든 사업소 또는 시설에 해당하는 제조원의 명칭, 주소, 책임부과범위(Responsibility) 및 수탁업소를 기재한다.

Regulation and Guideline : NDA-생물의약품

제조 및 시험에 관한 모든 사업소 또는 시설에 해당하는 제조원의 명칭, 주소, 책임부과범위(Responsibility) 및 수탁업소를 기재한다.

Regulation and Guideline : NDA-첨단의약품

NDA-생물의약품과 동일

3.2.S.2.2. 제조공정 및 공정관리 / Description of Manufacturing Process and Process Controls

Regulation and Guideline : IND-의약품

화학 물질은 합성 공정의 간략한 요약과 각 단계에서 사용하는 출발 물질, 중간체, 용매, 촉매 및 주요 시약이 포함되어 있는 공정 흐름도를 기재한다. 관련 공정관리도 모두 기재한다. 합성의 주요 단계가 확인되었을 경우 더 상세하게 기술되는 것이 적절하다. 해당되는 경우 출발물질의 입체-화학적 특성이 포함되어야 한다. 식약처장이 인정하는 공정서의 규격에 적합한 물질은 추가 요구 사항이 없다. 방사성-핵종은 핵 반응 (원하지 않는 핵반응 포함)을 서술한다. 조사 조건을 기재한다. 방사성의약품 조제품 및 유기-화학적 전구물질은 세척 및 분리 공정을 서술한다. 임상시험에서 사용되는 배치(batch) 크기의 범위나 생산 규모를 서술한다.

Regulation and Guideline : IND-생물의약품

제조공정과 공정관리를 적절히 서술한다. 제조공정은 일반적으로 하나의 세포은행에서 배양, 회수, 정제, 변형 반응 및 충전으로 구성된다. 저장 및 운반 조건을 간략히 기재한다. 공정관리가 포함된 공정흐름도를 기재한다. 공정관리 결과는 조치 한도(action limits) 또는 예비 허용기준(preliminary acceptance criteria)으로 기록한다. 개발 과정 동안 공정 관련 정보를 추가되면 공정 중 시험 및 기준을 더 상세하게 기재하고 허용기준을 재검토하여 기재한다. 제조단위(회수물 또는 중간체의 풀링(pooling) 정보 포함)와 생산규모를 정하여 기재한다. 원료의약품 제조시 재가공을 실시할 경우(예: 필터 완전성 시험 부적합) 그 타당성을 기재한다.

Regulation and Guideline : NDA-의약품

The description of the drug substance manufacturing process represents the applicant's commitment for the manufacture of the drug substance. Information should be provided to adequately describe the manufacturing process and process controls. For example:
NCE:
    A flow diagram of the synthetic process(es) should be provided that includes molecular formulae, weights, yield ranges, chemical structures of starting materials, intermediates, reagents and drug substance reflecting stereochemistry, and identifies operating conditions and solvents.
    A sequential procedural narrative of the manufacturing process should be submitted. The narrative should include, for example, quantities of raw materials, solvents, catalysts and reagents reflecting the representative batch scale for commercial manufacture, identification of critical steps, process controls, equipment and operating conditions (e.g.,

temperature, pressure, pH, time).

Alternate processes should be explained and described with the same level of detail as the primary process. Reprocessing steps should be identified and justified. Any data to support this justification should be either referenced or filed in 3.2.S.2.5.

Biotech:

Information should be provided on the manufacturing process, which typically starts with a vial(s) of the cell bank, and includes cell culture, harvest(s), purification and modification reactions, filling, storage and shipping conditions.

Batch(es) and scale definition

An explanation of the batch numbering system, including information regarding any pooling of harvests or intermediates and batch size or scale should be provided.

Cell culture and harvest

A flow diagram should be provided that illustrates the manufacturing route from the original inoculum (e.g. cells contained in one or more vials(s) of the Working Cell Bank up to the last harvesting operation. The diagram should include all steps (i.e., unit operations) and intermediates. Relevant information for each stage, such as population doubling levels, cell concentration, volumes, pH, cultivation times, holding times, and temperature, should be included. Critical steps and critical intermediates for which specifications are established (as mentioned in 3.2.S.2.4) should be identified.

A description of each process step in the flow diagram should be provided. Information should be included on, for example, scale; culture media and other additives (details provided in 3.2.S.2.3); major equipment (details provided in 3.2.A.1); and process controls, including in-process tests and operational parameters, process steps, equipment and intermediates with acceptance criteria (details provided in 3.2.S.2.4). Information on procedures used to transfer material between steps, equipment, areas, and buildings, as appropriate, and shipping and storage conditions should be provided. (Details on shipping and storage provided in 3.2.S.2.4.)

Purification and modification reactions

A flow diagram should be provided that illustrates the purification steps (i.e., unit operations) from the crude harvest(s) up to the step preceding filling of the drug substance. All steps and intermediates and relevant information for each stage (e.g., volumes, pH, critical processing time, holding times, temperatures and elution profiles and selection of fraction, storage of intermediate, if applicable) should be included. Critical steps for which specifications are established as mentioned in 3.2.S.2.4 should be identified.

A description of each process step (as identified in the flow diagram) should be provided. The description should include information on, for example, scale, buffers and other reagents (details provided in 3.2.S.2.3, major equipment (details provided in 3.2.A.1), and materials. For materials such as membranes and chromatography resins, information for conditions of use and reuse also should be provided. (Equipment details in 3.2.A.1; validation studies for the reuse and regeneration of columns and membranes in 3.2.S.2.5.) The description should include process controls (including in-process tests and operational parameters) with acceptance criteria for process steps, equipment and intermediates. (Details in 3.2.S.2.4.)

Reprocessing procedures with criteria for reprocessing of any intermediate or the drug substance should be described. (Details should be given in 3.2.S.2.5.)

Information on procedures used to transfer material between steps, equipment, areas, and buildings, as appropriate, and shipping and storage conditions should be provided (details on shipping and storage provided in 3.2.S.2.4.).

Filling, storage and transportation (shipping)

A description of the filling procedure for the drug substance, process controls (including in-process tests and operational parameters), and acceptance criteria should be provided. (Details in 3.2.S.2.4.) The container closure system(s) used for storage of the drug substance (details in 3.2.S.6.) and storage and shipping conditions for the drug substance should be described.

Reference ICH Guidelines: Q5A, Q5B, and Q6B

원료의약품의 실제 제조방법을 기재하도록 한다.

분자식, 분자량, 수율, 출발물질의 화학구조, 중간체, 시약 및 입체화학을 반영하는 원료의약품을 포함하는 제조(합성)공정에 대한 흐름도를 기재하고 이 흐름도에는 합성조건과 사용 용매를 기재한다.

제조방법은 순차적인 공정 절차로 기재한다. 원료약품의 양, 용매, 상업적 생산규모의 대표적인 뱃치 크기를 반영하는 촉매와 시약, 주요공정(critical) 단계에 대한 확인, 공정관리, 장비와 작업조건(예 : 온도, 압력, pH, 시간)을 포함한다.

대체공정이 있는 경우는 최초 공정과 동등한 정도로 기재한다. 재가공 단계(reprocessing step)는 그 공정을 명확히 하고 그 타당성을 기재한다. 타당성을 뒷받침하는 모든 자료는 문헌을 인용하거나 3.2.S.2.5. 공정 밸리데이션 및 평가항에 기재한다.

생물의약품 :

일반적으로 세포은행 바이알 한 개로 시작하여 세포배양, 회수, 정제와 변형 반응을 거쳐, 충전, 저장 및 출하 조건을 포함한 제조공정을 표시한다.

뱃치와 뱃치 크기의 정의

회수물 또는 중간체에 대한 모든 풀링(pooling)과 뱃치 크기 또는 스케일에 대한 정보를 포함하는 뱃치 번호 부여 시스템을 기재한다.

세포 배양과 회수

최초 접종(예를 들어 한 개 또는 한 개 이상의 제조용 세포은행 바이알에 담긴 세포들)에서부터 마지막 회수 작업까지의 제조방법을 보여주는 흐름도를 제출한다. 흐름도에는 모든 단계(즉, 단위 작업)와 중간체가 포함되어야 한다. 각 단계별로 개체수배가정도(population doubling level), 세포 농도, 부피, pH, 배양시간, 유지시간, 온도와 같은 해당정보를 기재한다. 기준이 설정되어 있는 주요공정(3.2.S.2.4 참조)과 주요 중간체를 명시한다.

흐름도의 각 공정단계에 대하여 설명한다. 예를 들어, 스케일; 배양 배지와 기타 첨가물(상세사항은 3.2.S.2.3에 기재); 주요 장비(상세사항은 3.2.A.1에 기재); 공정 중 시험과 작동 매개변수들, 공정단계, 장비, 허용기준을 가진 중간체(상세사항은 3.2.S.2.4에 기재)를 포함하는 공정관리에 대한 정보가 포함되어야 한다. 각 공정 단계간, 장비간, 작업소간 그리고 건물간에 물질을 이송하는 방법에 대한 적절한 절차와 출하, 저장조건에 대한 정보를 제출한다(출하와 저장에 대한 상세사항은 3.2.S.2.4에 기재).

정제와 변형반응

미정제 회수물로부터의 원료의약품의 충전에 이르기까지의 정제단계(즉, 단위작업)를 설명하는 흐름도를 제출한다. 모든 단계와 중간체 그리고 각 단계에 대한 해당 정보(예를 들어, 부피, pH, 주요공정의 시간, 유지시간, 온도와 용출 프로파일과 분획의 선별, 해당되는 경우 중간체의 저장)가 포함되어야 한다. 3.2.S.2.4에 언급된 것처럼 기준이 설정된 주요 단계를 명시하도록 한다.

각 공정단계(흐름도에서 명시된)를 설명하여야 한다. 설명은, 예를 들어, 스케일, 완충액과 기타 시약들(상세사항은 3.2.S.2.3에 기재), 주요 장비(상세사항은 3.2.A.1에 기재) 그리고 원료에 대한 정보를 포함하도록 한다. 멤브레인과 크로마토그래피용 수지와 같은 원료에 대해서는 사용 조건과 재사용 조건에 대한 사항을 포함하도록 한다(장비에 대한 상세사항은 3.2.A.1에 기재하고, 칼럼과 멤브레인의 재생과 재사용에 대한 밸리데이션 시험은 3.2.A.2에 기재). 공정단계와 기구, 중간체에 대한 허용기준과 함께 공정 관리(공정 중 시험과 작동매개 변수들을 포함하여)에 대한 설명을 포함한다(상세사항은 3.2.S.2.4에 기재).

중간체 또는 원료의약품을 재가공하는 모든 경우에는 재가공 절차를 기준과 함께 기술한다(상세사항은 3.2.S.2.5에 기재).

각 공정 단계간, 장비간, 작업소간 그리고 건물간에 물질을 이송하는 방법에 대한 적절한 절차와 출하, 저장조건에 대한 정보를 제출한다(출하와 저장에 대한 상세사항은 3.2.S.2.4에 기재).

충전과 저장, 운반(출하)

원료의약품의 충전 절차, 공정관리(공정 중 시험과 작동 매개변수들을 포함하는)와 허용기준에 대해 설명한다(상세사항은 3.2.S.2.4에 기재). 원료의약품 저장을 위해 사용하는 용기 및 포장(상세사항은 3.2.S.6에 기재), 원료의약품의 저장과 출하조건을 기술한다.

Regulation and Guideline : NDA-생물의약품

원료의약품의 실제 제조방법을 기재하도록 한다.

분자식, 분자량, 수율, 출발물질의 화학구조, 중간체, 시약 및 입체화학을 반영하는 원료의약품을 포함하는 제조(합성)공정에 대한 흐름도를 기재하고 이 흐름도에는 합성조건과 사용 용매를 기재한다.

제조방법은 순차적인 공정 절차로 기재한다. 원료약품의 양, 용매, 상업적 생산규모의 대표적인 뱃치 크기를 반영하는 촉매와 시약, 주요공정(critical) 단계에 대한 확인, 공정관리, 장비와 작업조건(예 : 온도, 압력, pH, 시간)을 포함한다.

대체공정이 있는 경우는 최초 공정과 동등한 정도로 기재한다. 재가공 단계(reprocessing step)는 그 공정을 명확히 하고 그 타당성을 기재한다. 타당성을 뒷받침하는 모든 자료는 문헌을 인용하거나 3.2.S.2.5. 공정 밸리데이션 및 평가항에 기재한다.

생물의약품 :
　일반적으로 세포은행 바이알 한 개로 시작하여 세포배양, 회수, 정제와 변형 반응을 거쳐, 충전, 저장 및 출하 조건을 포함한 제조공정을 표시한다.
뱃치와 뱃치 크기의 정의
　회수물 또는 중간체에 대한 모든 풀링(pooling)과 뱃치 크기 또는 스케일에 대한 정보를 포함하는 뱃치 번호 부여 시스템을 기재한다.
세포 배양과 회수
　최초 접종(예를 들어 한 개 또는 한 개 이상의 제조용 세포은행 바이알에 담긴 세포들)에서부터 마지막 회수 작업까지의 제조방법을 보여주는 흐름도를 제출한다. 흐름도에는 모든 단계(즉, 단위 작업)와 중간체가 포함되어야 한다. 각 단계별로 개체수배가정도(population doubling level), 세포 농도, 부피, pH, 배양시간, 유지시간, 온도와 같은 해당정보를 기재한다. 기준이 설정되어 있는 주요공정(3.2.S.2.4 참조)과 주요 중간체를 명시한다.
　흐름도의 각 공정단계에 대하여 설명한다. 예를 들어, 스케일; 배양 배지와 기타 첨가물(상세사항은 3.2.S.2.3에 기재); 주요 장비(상세사항은 3.2.A.1에 기재); 공정 중 시험과 작동 매개변수들, 공정단계, 장비, 허용기준을 가진 중간체(상세사항은 3.2.S.2.4에 기재)를 포함하는 공정관리에 대한 정보가 포함되어야 한다. 각 공정 단계간, 장비간, 작업소간 그리고 건물간에 물질을 이송하는 방법에 대한 적절한 절차와 출하, 저장조건에 대한 정보를 제출한다(출하와 저장에 대한 상세사항은 3.2.S.2.4에 기재).
정제와 변형반응
　미정제 회수물로부터의 원료의약품의 충전에 이르기까지의 정제단계(즉, 단위작업)를 설명하는 흐름도를 제출한다. 모든 단계와 중간체 그리고 각 단계에 대한 해당 정보(예를 들어, 부피, pH, 주요공정의 시간, 유지시간, 온도와 용출 프로파일과 분획의 선별, 해당되는 경우 중간체의 저장)가 포함되어야 한다. 3.2.S.2.4에 언급된 것처럼 기준이 설정된 주요 단계를 명시하도록 한다.
　각 공정단계(흐름도에서 명시된)를 설명하여야 한다. 설명은, 예를 들어, 스케일, 완충액과 기타 시약들(상세사항은 3.2.S.2.3에 기재), 주요 장비(상세사항은 3.2.A.1에 기재) 그리고 원료에 대한 정보를 포함하도록 한다. 멤브레인과 크로마토그래피용 수지와 같은 원료에 대해서는 사용 조건과 재사용 조건에 대한 사항을 포함하도록 한다(장비에 대한 상세사항은 3.2.A.1에 기재하고, 칼럼과 멤브레인의 재생과 재사용에 대한 밸리데이션 시험은 3.2.A.2.에 기재). 공정단계와 기구, 중간체에 대한 허용기준과 함께 공정 관리(공정 중 시험과 작동매개 변수들을 포함하여)에 대한 설명을 포함한다(상세사항은 3.2.S.2.4에 기재).
　중간체 또는 원료의약품을 재가공하는 모든 경우에는 재가공 절차를 기준과 함께 기술한다(상세사항은 3.2.S.2.5에 기재).
　각 공정 단계간, 장비간, 작업소간 그리고 건물간에 물질을 이송하는 방법에 대한 적절한 절차와 출하, 저장조건에 대한 정보를 제출한다(출하와 저장에 대한 상세사항은 3.2.S.2.4에 기재).
충전과 저장, 운반(출하)
　원료의약품의 충전 절차, 공정관리(공정 중 시험과 작동 매개변수들을 포함하는)와 허용기준에 대해 설명한다(상세사항은 3.2.S.2.4에 기재). 원료의약품 저장을 위해 사용하는 용기 및 포장(상세사항은 3.2.S.6에 기재), 원료의약품의 저장과 출하조건을 기술한다.

Regulation and Guideline : NDA-첨단의약품

NDA-생물의약품과 동일

3.2.S.2.3 원료 관리 / Control of Materials

Regulation and Guideline : IND-의약품

원료의약품의 제조에 사용하는 물질 (예: 원료물질, 출발물질, 용매, 시약, 촉매)의 목록을 작성하고 중요하다고 예측되는 모든 속성(attributes)의 품질 및 관리에 대해 간략하게 요약한다. (예를 들어, 원료의약품 중 불순물을 제한하기 위해 관리가 필요한 경우 [예: 키랄성 관리, 금속 촉매 관리 또는 전구물질의 관리부터 잠재적인 유전독성 불순물까지])

Regulation and Guideline : IND-생물의약품

원료 및 출발 물질(Raw and Starting Materials)
원료의약품의 제조에 사용하는 물질(예: 원료 물질, 출발 물질, 세포 배양 배지, 성장 인자, 칼럼 수지, 용매, 시약)들의 사용되는 공정을 포함한 목록을 작성한다. 품질관리 기준(예: 공정서, 자사 기준 등)을 기재한다. 공정서 미수재 물질은 품질 및 관리에 대한 정보를 기재한다. 필요한 경우, 사용물질(배지 성분, 단클론 항체, 효소와 같은 생물 유래 물질 포함)이

해당 기준에 적합함을 증명하는 정보를 제공한다.

생물 유래 원료 물질(세포 은행 제조에 사용되는 물질 포함)은 기원과 사용되는 제조 공정 단계를 기재한다. 생물 유래 물질에 대한 외인성 물질의 안전성 정보는 요약하여 부록 3.A.2에 기재한다.

세포 기질의 출처, 이력 및 세대(Source, history and generation of the cell substrate)
세포 기질의 출처 및 생성(연속 단계의 공정흐름도), 마스터 세포은행(MCB) 개발에 사용된 모/숙주 세포에 도입되거나 세포의 유전적 변형을 위해 사용된 발현 벡터의 분석 자료, 생산 시 관련 유전자의 발현을 촉진하거나 조절하기 위한 전략을 ICH 가이드라인 Q5D의 원칙에 따라 요약하여 기재한다.

세포은행 시스템과 특성분석 및 시험(Cell bank system, characterisation and testing)
제1상 임상시험 시작 전에 마스터 세포은행(MCB)는 반드시 확립되어야 하나 제조용 세포은행(WCB)은 반드시 확립되어야 하는 것은 아니다.
세포 은행들의 생성, 검증(qualification) 및 보관 관련 정보를 기재한다. MCB 및/또는 WCB의 특성을 분석하고 시험 결과를 제시한다. 세포 은행을 생성과 특성 분석은 ICH 가이드라인 Q5D의 원칙에 따라 실시한다.
세포 은행들은 생산에 사용하는 세포의 확인(identity), 생존(viability) 및 순도(purity)를 보장하기 위해 관련 표현형(phenotype)과 유전형(genotype)의 마커들에 대한 특성이 밝혀져야 한다.
임상시험 실시 전에 발현 카세트(expression cassette)의 핵산 서열(코딩 영역의 서열 포함)을 확인되어야 한다.
필요한 경우 외인성 물질의 안전성 평가와 원료의약품 생산에 사용되는 세포 은행에 대한 검증(qualification) 자료를 부록 3.A.2에 포함시킨다.

세포 기질 안정성(Cell substrate stability)
세포 기질 안정성에 대해 확보된 모든 자료를 기재한다.

Regulation and Guideline : NDA-의약품

Materials used in the manufacture of the drug substance (e.g., raw materials, starting materials, solvents, reagents, catalysts) should be listed identifying where each material is used in the process. Information on the quality and control of these materials should be provided. Information demonstrating that materials (including biologically-sourced materials, e.g., media components, monoclonal antibodies, enzymes) meet standards appropriate for their intended use (including the clearance or control of adventitious agents) should be provided, as appropriate. For biologically-sourced materials, this can include information regarding the source, manufacture, and characterisation. (Details in 3.2.A.2 for both NCE and Biotech)
Reference ICH Guidelines: Q6A and Q6B

Biotech :
Control of Source and Starting Materials of Biological Origin
Summaries of viral safety information for biologically-sourced materials should be provided. (Details in 3.2.A.2.)
Source, history, and generation of the cell substrate
Information on the source of the cell substrate and analysis of the expression construct used to genetically modify cells and incorporated in the initial cell clone used to develop the Master Cell Bank should be provided as described in Q5B and Q5D.
Cell banking system, characterisation, and testing
Information on the cell banking system, quality control activities, and cell line stability during production and storage (including procedures used to generate the Master and Working Cell Bank(s)) should be provided as described in Q5B and Q5D.
Reference ICH Guidelines: Q5A, Q5B, Q5C and Q5D

원료의약품의 제조에 사용한 각각의 원료(예: 원료약품, 출발물질, 용매, 시약, 촉매)가 어느 공정에서 사용되었는지를 명확하게 기재한다.
이들 물질에 대한 품질관리 방법 등을 기술한다. 물질(생물 유래 물질 포함. 예: 배지 성분, 단클론항체, 효소)이 사용 목적(유해성 인자의 제거 또는 관리를 포함)에 맞는 기준에 부합함을 입증하는 자료를 제출한다. 생물 유래의 물질들에 대해서는 출처, 제조, 특성에 관한 자료를 포함하여 제출한다(신물질 및 생물의약품 모두 3.2.A.2에 상세 기재).

생물의약품:
생물 유래의 출처와 출발물질의 관리
생물 유래 물질의 바이러스 안전성 정보에 대한 요약을 제출한다(상세사항은 3.2.A.2에 기재).

세포기질의 출처, 이력 및 세대

　세포기질의 출처, 세포를 유전적으로 변형시키기 위해 사용된 발현구조체에 대한 분석, 마스터 세포은행을 만들기 위해 사용된 최초 세포 클론에 발현구조체를 도입시키기 위한 조작 내용을 ICH Q5B와 Q5D에 설명된 대로 기재한다.

세포은행 시스템과 특성분석 및 시험

　세포은행 시스템, 품질관리 활동, 생산 및 저장 중의 세포주 안정성(마스터 세포은행과 제조용 세포은행을 만들기 위해 사용한 절차 포함)에 대한 정보를 ICH Q5B와 Q5D에 설명된 대로 기재한다.

Regulation and Guideline : NDA-생물의약품

원료의약품의 제조에 사용한 각각의 원료(예: 원료약품, 출발물질, 용매, 시약, 촉매)가 어느 공정에서 사용되었는지를 명확하게 기재한다.

　이들 물질에 대한 품질관리 방법 등을 기술한다. 물질(생물 유래 물질 포함. 예: 배지 성분, 단클론항체, 효소)이 사용 목적(유해성 인자의 제거 또는 관리를 포함)에 맞는 기준에 부합함을 입증하는 자료를 제출한다. 생물 유래의 물질들에 대해서는 출처, 제조, 특성에 관한 자료를 포함하여 제출한다(신물질 및 생물의약품 모두 3.2.A.2에 상세 기재).

생물의약품:

생물 유래의 출처와 출발물질의 관리

　생물 유래 물질의 바이러스 안전성 정보에 대한 요약을 제출한다(상세사항은 3.2.A.2에 기재).

세포기질의 출처, 이력 및 세대

　세포기질의 출처, 세포를 유전적으로 변형시키기 위해 사용된 발현구조체에 대한 분석, 마스터 세포은행을 만들기 위해 사용된 최초 세포 클론에 발현구조체를 도입시키기 위한 조작 내용을 ICH Q5B와 Q5D에 설명된 대로 기재한다.

세포은행 시스템과 특성분석 및 시험

　세포은행 시스템, 품질관리 활동, 생산 및 저장 중의 세포주 안정성(마스터 세포은행과 제조용 세포은행을 만들기 위해 사용한 절차 포함)에 대한 정보를 ICH Q5B와 Q5D에 설명된 대로 기재한다.

Regulation and Guideline : NDA-첨단의약품

NDA-생물의약품과 동일

3.2.S.2.4. 주요공정 및 중간체 관리 / Controls of Critical Steps and Intermediates

Regulation and Guideline : IND-의약품

합성의 주요 단계별로 이를 관리하기 위한 시험 및 허용 기준을 간략하게 요약한다.

Regulation and Guideline : IND-생물의약품

제조 공정의 주요 단계에 대한 시험법과 허용 기준을 기재한다. 개발 초기 단계(제1상, 제2상)에는 제한된 자료로 인해 완전한 정보가 제공되지 않을 수 있다.

필요시 반제품(process intermediates)의 저장 기간(hold times), 저장 조건을 기재하고 해당 근거자료를 제시한다.

Regulation and Guideline : NDA-의약품

Critical Steps: Tests and acceptance criteria (with justification including experimental data) performed at critical steps identified in 3.2.S.2.2 of the manufacturing process to ensure that the process is controlled should be provided.

Intermediates: Information on the quality and control of intermediates isolated during the process should be provided.

Reference ICH Guidelines: Q6A and Q6B

Additionally for Biotech: Stability data supporting storage conditions should be provided.

Reference ICH Guideline: Q5C

주요 공정 : 3.2.S.2.2. 제조공정 및 공정관리항에서 명시한 주요공정 관리를 위한 시험 방법 및 허용기준(실측치를 포함한 설정근거)을 기재한다.

중간체 : 공정 중 중간체의 품질관리 방법 등을 기재한다.

생물의약품에 관한 추가항목 : 저장조건을 뒷받침하기 위한 안정성 자료를 기재한다.

주요 공정 : 3.2.S.2.2. 제조공정 및 공정관리항에서 명시한 주요공정 관리를 위한 시험 방법 및 허용기준(실측치를 포함한 설정근거)을 기재한다.
중간체 : 공정 중 중간체의 품질관리 방법 등을 기재한다.
생물의약품에 관한 추가항목 : 저장조건을 뒷받침하기 위한 안정성 자료를 기재한다.

Regulation and Guideline : NDA-첨단의약품

NDA-생물의약품과 동일

3.2.S.2.5. 공정밸리데이션 및 평가 / Process Validation and/or Evaluation

Regulation and Guideline : IND-의약품

임상시험에서 사용할 원료의약품에는 적용되지 않는다.

Regulation and Guideline : IND-생물의약품

제출자료에 포함되지 않으나 전 개발과정에서 공정 밸리데이션 및 평가 자료를 수집하여야 한다.
제조공정 중 바이러스 오염에 대한 제거 또는 불활화 단계에 대한 정보를 부록 3.A.2에 포함시킨다.

Regulation and Guideline : NDA-의약품

Process validation and/or evaluation studies for aseptic processing and sterilisation should be included.
Biotech:
Sufficient information should be provided on validation and evaluation studies to demonstrate that the manufacturing process (including reprocessing steps) is suitable for its intended purpose and to substantiate selection of critical process controls (operational parameters and in-process tests) and their limits for critical manufacturing steps (e.g., cell culture, harvesting, purification, and modification).
The plan for conducting the study should be described and the results, analysis and conclusions from the executed study(ies) should be provided. The analytical procedures and corresponding validation should be cross-referenced (e.g., 3.2.S.2.4, 3.2.S.4.3) or provided as part of justifying the selection of critical process controls and acceptance criteria.
For manufacturing steps intended to remove or inactivate viral contaminants, the information from evaluation studies should be provided in 3.2.A.2.

무균공정과 멸균에 대한 공정 밸리데이션 또는 평가결과를 기재한다.
생물의약품:
제조공정(재가공을 포함하여)이 의도한 목적에 적합한지를 증명하고 주요 공정관리(작동 매개변수들과 공정 중 시험)의 설정 근거와 주요 제조단계(예: 세포배양, 회수, 정제 및 변형)의 한도기준에 대한 근거를 보여주는 밸리데이션 및 평가 연구의 결과를 기재한다.
연구를 수행하기 위한 계획을 기술하여야 하며, 수행된 연구에서 얻은 결과, 분석, 결론을 제시하여야 한다. 분석방법과 이에 대한 밸리데이션은 서로 상호 참조하여 기술하거나(예: 3.2.S.2.4. 3.2.S.4.3), 주요공정 관리 및 허용기준 설정에 대한 근거자료의 일부로 기재하도록 한다.
바이러스 오염에 대한 제거나 불활화를 위한 제조 단계의 평가 연구에 대한 정보를 3.2.A.2에 기재한다.

Regulation and Guideline : NDA-생물의약품

무균공정과 멸균에 대한 공정 밸리데이션 또는 평가결과를 기재한다.
생물의약품:
제조공정(재가공을 포함하여)이 의도한 목적에 적합한지를 증명하고 주요 공정관리(작동 매개변수들과 공정 중 시험)의 설정 근거와 주요 제조단계(예: 세포배양, 회수, 정제 및 변형)의 한도기준에 대한 근거를 보여주는 밸리데이션 및 평가 연구의 결과를 기재한다.

연구를 수행하기 위한 계획을 기술하여야 하며, 수행된 연구에서 얻은 결과, 분석, 결론을 제시하여야 한다. 분석방법과 이에 대한 밸리데이션은 서로 상호 참조하여 기술하거나(예: 3.2.S.2.4. 3.2.S.4.3), 주요공정 관리 및 허용기준 설정에 대한 근거자료의 일부로 기재하도록 한다.

바이러스 오염에 대한 제거나 불활화를 위한 제조 단계의 평가 연구에 대한 정보를 3.2.A.2에 기재한다.

Regulation and Guideline : NDA-첨단의약품

NDA-생물의약품과 동일

3.2.S.2.6. 제조공정 개발 / Manufacturing Process Development

Regulation and Guideline : IND-의약품

제조공정이 비임상시험시 사용된 배치의 제조공정과 차이가 있을 경우 이를 문서화한다.
이 경우 비임상시험에 사용된 원료의약품의 제조 공정 흐름도를 기재한다.

Regulation and Guideline : IND-생물의약품

공정 개선(Process Improvement)
개발 단계와 초기 임상시험 단계 동안, 제조 공정 및 관리 전략은 계속 개선되고 최적화된다. 이러한 개선 및 최적화는 정상적인 개발 업무에 해당하므로 제출 서류에 적절히 서술한다. 제조 공정 및 관리에 발생한 변경에 대해 요약하고 그 근거를 기재한다. 이런 기록을 통해 변경 전후의 배치 간에 적절한 관계가 확립되어야 하고 비임상시험과 임상시험에 사용된 각 배치들의 생산 시 공정 버전을 명확히 확인할 수 있어야 한다. 공정이 진화(process evolution)되고 있음을 확인할 수 있도록 공정 변경의 비교 흐름도와 목록이 사용될 수 있다. 공정 변경 시엔 공정 중 시험과 출하 시험의 변경이 필요할 수 있으므로 관련 시험과 허용 기준이 검토되어야 한다.

비교 분석 실험(Comparability exercise)
도입된 변경의 중요성과 개발 단계에 따라, 해당 변경이 생물의약품의 임상적 특성에 유의한 영향을 미치지 않는다는 것을 보장하기 위해 비교 분석 실험이 필요할 수 있다. 이 실험은 변경 후 제품이 실시될 임상시험에 적절하며 시험대상자의 안전에 어떤 문제도 야기하지 않음을 보장하기 위한 것이다.

이러한 비교 분석 실험은 일반적으로 단계적 접근법에 따라, 적절한 분석방법으로 원료의약품과 관련 중간체의 품질 속성을 비교한다. 분석 방법은 보통 정기 시험(routine tests)을 포함하며, 필요시 추가 특성 시험(characterization tests)이 실시될 수 있다. 제조원의 축적된 경험과 기타 관련 정보가 변경에 의해 도입되는 위험을 평가하기에 충분하지 않거나, 시험대상자에게 잠재적인 위험이 예상될 경우, 품질만 고려한 비교 분석 실험으로는 충분하지 않을 수 있다.

비임상시험과 임상시험 초기 단계 동안, 일반적으로 비교 분석 시험은 허가된 의약품만큼 광범위하게 수행되지는 않는다. 최초 인체 적용(First-in-human) 임상시험의 경우, 비임상시험에 사용한 물질을 대표하는 임상시험용의약품을 사용할 것을 권장한다.

Regulation and Guideline : NDA-의약품

A description and discussion should be provided of the significant changes made to the manufacturing process and/or manufacturing site of the drug substance used in producing nonclinical, clinical, scale-up, pilot, and, if available, production scale batches.
Reference should be made to the drug substance data provided in section 3.2.S.4.4. Reference ICH Guideline: Q3A
Biotech:
The developmental history of the manufacturing process, as described in 3.2.S.2.2, should be provided. The description of change(s) made to the manufacture of drug substance batches used in support of the marketing application (e.g., nonclinical or clinical studies) should include, for example, changes to the process or to critical equipment. The reason for the change should be explained. Relevant information on drug substance batches manufactured during development, such as the batch number, manufacturing scale, and use (e.g., stability, nonclinical, reference material) in relation to the change, should be provided.
The significance of the change should be assessed by evaluating its potential to impact the quality

of the drug substance (and/or intermediate, if appropriate). For manufacturing changes that are considered significant, data from comparative analytical testing on relevant drug substance batches should be provided to determine the impact on quality of the drug substance (see Q6B for additional guidance). A discussion of the data, including a justification for selection of the tests and assessment of results, should be included.

Testing used to assess the impact of manufacturing changes on the drug substance(s) and the corresponding drug product(s) can also include nonclinical and clinical studies. Cross-reference to the location of these studies in other modules of the submission should be included.

Reference should be made to the drug substance data provided in section 3.2.S.4.4. Reference ICH Guideline: Q6B

개발과정 중 비임상 시험, 임상시험, 스케일-업, 소규모 실험생산(pilot), 필요시 실생산 뱃치 생산에 사용된 원료의약품의 제조공정 및 제조소의 중대한 변경에 대해서는 변경 내용의 설명 및 고찰을 기재한다. 이와 관련된 원료의약품 뱃치 분석자료를 3.2.S.4.4. 뱃치 분석항에 기재한다.

생물의약품 :

3.2.S.2.2에 기재된 제조공정에 대한 개발 경위를 기재한다. 허가 신청자료(예: 비임상시험 또는 임상시험)에 사용된 원료의약품 뱃치들을 제조하는 과정에서 일어난 변경사항을, 예를 들어 제조공정의 변경 또는 중요한 장비의 변경을 포함하여 기재한다. 변경에 대한 사유를 기술한다. 변경과 관련하여 개발단계동안 제조된 원료의약품 뱃치에 관한 정보(예를 들어 뱃치 번호, 스케일, 사용내역; 안정성, 비임상시험, 표준물질)를 기재한다.

변경의 중요성은 해당 변경이 원료의약품(및/또는 중간체, 해당한다면)의 품질에 어느 정도의 영향을 주는지를 평가하여 판단한다. 중대한 변경으로 판단되는 경우에는 해당 변경이 원료의약품 품질에 미치는 영향의 정도를 판정하기 위해 관련된 원료의약품 뱃치에 대한 비교 분석실험 자료를 제출하여야 한다(ICH Q6B를 추가 참조). 시험방법에 대한 설정 근거와 결과에 대한 평가 근거를 포함하는 데이터의 고찰을 기재한다.

제조 방법의 변경이 원료의약품과 그에 상응하는 완제의약품에 미치는 영향을 평가하기 위한 시험에는 비임상시험과 임상시험이 포함될 수 있다. 이 경우에는 제출 서류의 다른 모듈에 기재되어 있는 해당 시험을 상호 참조하여야 한다.

이와 관련된 원료의약품 뱃치 분석자료를 3.2.S.4.4에 기재한다.

Regulation and Guideline : NDA-생물의약품

개발과정 중 비임상 시험, 임상시험, 스케일-업, 소규모 실험생산(pilot), 필요시 실생산 뱃치 생산에 사용된 원료의약품의 제조공정 및 제조소의 중대한 변경에 대해서는 변경 내용의 설명 및 고찰을 기재한다. 이와 관련된 원료의약품 뱃치 분석자료를 3.2.S.4.4. 뱃치 분석항에 기재한다.

생물의약품 :

3.2.S.2.2에 기재된 제조공정에 대한 개발 경위를 기재한다. 허가 신청자료(예: 비임상시험 또는 임상시험)에 사용된 원료의약품 뱃치들을 제조하는 과정에서 일어난 변경사항을, 예를 들어 제조공정의 변경 또는 중요한 장비의 변경을 포함하여 기재한다. 변경에 대한 사유를 기술한다. 변경과 관련하여 개발단계동안 제조된 원료의약품 뱃치에 관한 정보(예를 들어 뱃치 번호, 스케일, 사용내역; 안정성, 비임상시험, 표준물질)를 기재한다.

변경의 중요성은 해당 변경이 원료의약품(및/또는 중간체, 해당한다면)의 품질에 어느 정도의 영향을 주는지를 평가하여 판단한다. 중대한 변경으로 판단되는 경우에는 해당 변경이 원료의약품 품질에 미치는 영향의 정도를 판정하기 위해 관련된 원료의약품 뱃치에 대한 비교 분석실험 자료를 제출하여야 한다(ICH Q6B를 추가 참조). 시험방법에 대한 설정 근거와 결과에 대한 평가 근거를 포함하는 데이터의 고찰을 기재한다.

제조 방법의 변경이 원료의약품과 그에 상응하는 완제의약품에 미치는 영향을 평가하기 위한 시험에는 비임상시험과 임상시험이 포함될 수 있다. 이 경우에는 제출 서류의 다른 모듈에 기재되어 있는 해당 시험을 상호 참조하여야 한다.

이와 관련된 원료의약품 뱃치 분석자료를 3.2.S.4.4에 기재한다.

Regulation and Guideline : NDA-첨단의약품

NDA-생물의약품과 동일

3.2.S.3. 특성 / Characterisation

3.2.S.3.1. 구조 및 기타 특성 / Elucidation of Structure and other Characteristics

Regulation and Guideline : IND-의약품

화학적으로 정의된 물질의 구조는 적합한 방법론으로 확립되어야 한다; 관련 자료가 제공되어야 한다.
방사성의약품 물질은 구조를 측정할 때 유사한 비-방사성 물질을 사용한다.

Regulation and Guideline : IND-생물의약품

적절한 기술로 생물공학적 또는 생물학적 물질의 특성(물리화학적 특성, 생물학적 활성, 면역화학적 특성, 순도 및 불순물의 측정 포함)을 분석하여 관련 기준을 확립할 필요가 있다. 문헌 자료만 인용하는 것은 받아들여지지 않는다. 유의한 공정 변경 후, 필요한 경우 제1상 임상시험 이전의 개발 단계에서 적절한 특성 분석을 실시한다.

목적 산물의 경우, 전사후 변형(예: glycoforms) 및 기타 변형을 포함하여 일차, 이차 및 고차 구조에 대한 관련 정보가 모두 기재되어야 한다. 생물학적 활성에 대한 세부 내용을 기재한다. 보통 제1상 임상시험 시작 전에, 신뢰할 수 있고 검증된(qualified) 방법으로 생물학적 활성을 측정한다. 그런 시험법이 없으면 근거를 제시한다. 후기 임상단계에서는 특성 분석 자료의 규모가 증가할 것이다.

특성 분석에 사용된 방법의 선정 사유를 기재하고 적합한 근거를 제시한다.

Regulation and Guideline : NDA-의약품

NCE :
Confirmation of structure based on e.g., synthetic route and spectral analyses should be provided. Information such as the potential for isomerism, the identification of stereochemistry, or the potential for forming polymorphs should also be included.
Reference ICH Guideline: Q6A

Biotech :
For desired product and product-related substances, details should be provided on primary, secondary and higher-order structure, post-translational forms (e.g., glycoforms), biological activity, purity, and immunochemical properties, when relevant.
Reference ICH Guideline: Q6B

합성경로와 스펙트럼 분석 결과 등에 기초하여 구조 결정한다. 이때 이성체(isomerism), 입체구조 또는 결정다형 등에 대한 정보를 포함하여 기재한다.

생물의약품 :
목적산물 및 제제 관련물질에 대해서 일차구조, 이차구조 및 고차 구조, 그리고 해독 후 구조(예: 당화구조), 생물학적 활성, 순도 및 면역화학적 특성에 대한 세부사항을 적절하게 기재한다.

Regulation and Guideline : NDA-생물의약품

합성경로와 스펙트럼 분석 결과 등에 기초하여 구조 결정한다. 이때 이성체(isomerism), 입체구조 또는 결정다형 등에 대한 정보를 포함하여 기재한다.

생물의약품 :
목적산물 및 제제 관련물질에 대해서 일차구조, 이차구조 및 고차 구조, 그리고 해독 후 구조(예: 당화구조), 생물학적 활성, 순도 및 면역화학적 특성에 대한 세부사항을 적절하게 기재한다.

Regulation and Guideline : NDA-첨단의약품

NDA-생물의약품과 동일

3.2.S.3.2. 순도(불순물) / Impurities

Regulation and Guideline : IND-의약품

식약처장이 인정하는 공정서 규격에 적합한 물질은 추가 요구되는 사항이 없다.

위에 언급한 약전에 수재되지 않아 인용할 수 없는 경우, 임상시험에서 사용하는 원료의약품과 관련된 출발물질 또는 제조공정으로부터 유래하는 불순물, 분해 산물 및 잔류 용매를 서술한다.

비-방사성의약품을 개발하기 위해 제1상 시험에 사용하는 방사성-핵종 또는 방사성-표지 물질은 방사화학적 순도 및 화학적 순도를 기재하고 추정이 이루어진 과정에 대해 설명해야 한다(예: 콜드 [cold] 물질을 희석하기 전에 이루어진 측정 결과). 방사성의약품 물질은 방사성-핵종 순도, 방사화학적 순도 및 화학적 순도를 서술한다.

Regulation and Guideline : IND-생물의약품

공정 관련 불순물(예: 숙주 세포 단백질, 숙주 세포 DNA, 배지 잔류물, 칼럼 여과 물질) 및 제품 관련 불순물(예: 전구물질, 개열된 형, 분해 산물, 집합체)을 기재한다. 최고 임상 용량에 대한 최대 함량을 포함하여 불순물에 대한 정량적 정보를 기재한다. 일부 공정 관련 불순물의 경우(예: 소포제), 제거되었음을 추정하는 것이 그 근거로 받아들여질 수도 있다.

일부 불순물에 대해 정성적 자료만 제시할 경우, 이에 대한 근거를 기재한다.

Regulation and Guideline : NDA-의약품

Information on impurities should be provided.
Reference ICH Guidelines: Q3A, Q3C, Q5C, Q6A, and Q6B

불순물에 대한 정보를 기재한다.

Regulation and Guideline : NDA-생물의약품

불순물에 대한 정보를 기재한다.

Regulation and Guideline : NDA-첨단의약품

NDA-생물의약품과 동일

3.2.S.4. 원료의약품 관리 / Control of Drug Substance

3.2.S.4.1. 기준 / Specification

Regulation and Guideline : IND-의약품

임상시험에서 사용하는 원료의약품 배치의 기준, 사용하는 시험 및 허용 기준을 명시한다. 확인 및 함량 시험은 필수이다. 불순물은 안전성을 고려하여 상한치를 설정한다. 이런 기준들은 이후 개발 과정에서 재검토하고 조정할 필요가 있을 수 있다.

무균 제제의 제조에 사용하는 원료의약품은 미생물학적 품질을 명시한다.

식약처장이 인정하는 공정서 규격에 적합한 원료의 경우 특정 공급원으로부터 공급받는 원료의약품의 품질을 적절하게 관리하기 위한 적합성을 증명하면 해당 공정서 규격을 인용하는 것으로 충분할 것이다. 그러나, 기준에는 모든 관련 잔류 용매 또는 촉매의 허용 기준이 포함되어야 한다.

방사성의약품 원료의약품은 화학적 불순물뿐만 아니라 방사성-핵종 불순물, 방사화학적 불순물의 한도를 다루어야 한다.

제2상 및 제3상 임상시험에 대한 추가 정보

선행 제1상 또는 제2상 임상시험에서 설정된 기준 및 허용 기준을 검토해야 하며, 적절할 경우 현 개발 단계에 맞게 조정한다.

Regulation and Guideline : IND-생물의약품

임상시험에 사용되는 원료의약품 배치의 기준은 원료의약품의 품질을 충분히 관리하기 위해 사용되는 시험항목과 허용기준을 정하여 기재한다. 함량, 확인 및 순도 시험은 필수항목이다. 다른 근거가 없는 경우 생물학적 활성 시험도 포함된다. 불순물은 안전성을 고려하여 상한치를 설정한다. 원료의약품의 미생물학적 품질을 명시한다.

허용 기준은 보통 제한된 수의 개발 배치와 비임상 및 임상시험 사용 배치를 기초로 설정된 예비 기준이므로 이후 개발 과정에서 재검토되고 조정되어야 한다.

일부 개발 단계에서 제품 특성이 완전히 정의되지 않거나, 관련 허용 기준의 확립을 위한 자료가 충분하지 않은 경우도 기록되어야 한다. 따라서 그런 제품 특성은 허용 한도가 미리 설정되지 않아도 기준에 포함되어야 한다. 2.S.4.4. 배치 분석에 결과를 기재한다.

제2상 및 제3상 임상시험에 대한 추가 정보
정보와 경험이 축적되면 파라미터의 추가나 삭제, 시험법의 변경이 필요할 수 있다. 선행 임상시험에서 설정된 기준 및 허용 기준은 검토되고 현 개발 단계에 맞게 조정되어야 한다.

Regulation and Guideline : NDA-의약품

The specification for the drug substance should be provided.
Reference ICH Guidelines: Q6A and Q6B

원료의약품에 대한 기준을 기재한다.

Regulation and Guideline : NDA-생물의약품

원료의약품에 대한 기준을 기재한다.

Regulation and Guideline : NDA-첨단의약품

NDA-생물의약품과 동일

3.2.S.4.2. 시험방법 / Analytical Procedures

Regulation and Guideline : IND-의약품

원료의약품 기준에 포함되어 있는 모든 시험에 대해 사용하는 시험법을 서술해야 한다.
(예: 역상-HPLC, 전위차 적정, 헤드스페이스-GC 등). 시험방법을 상세하게 기술할 필요는 없다.

방사성의약품 물질은 방사능 측정에 사용한 방법을 서술한다.

식약처장이 인정하는 공정서 규격에 적합한 물질은 해당 규격을 인용하는 것으로 충분할 것이다.

Regulation and Guideline : IND-생물의약품

허용 한도가 설정되지 않은 시험을 포함하여 기준에 포함된 모든 시험에 대해 원료의약품에 사용하는 시험법을 목록으로 작성한다(예: 크로마토그래프법, 생물학적 분석, 등).

공정서에 수재되지 않은 모든 시험방법(즉, 분석을 수행하는 방법)은 간략한 설명을 기재한다.

식약처장이 인정하는 공정서에 수재된 시험법은 해당 공정서를 인용할 수 있다.

Regulation and Guideline : NDA-의약품

The analytical procedures used for testing the drug substance should be provided.
Reference ICH Guidelines: Q2A and Q6B

원료의약품 시험에 사용되는 시험방법을 기재한다.

Regulation and Guideline : NDA-생물의약품

원료의약품 시험에 사용되는 시험방법을 기재한다.

Regulation and Guideline : NDA-첨단의약품

NDA-생물의약품과 동일

3.2.S.4.3. 시험방법 밸리데이션 / Validation of Analytical Procedures

Regulation and Guideline : IND-의약품

제1상 임상시험의 경우, 사용된 시험법의 적합성(Suitability)이 확인되어야 한다. 시험방법 밸리데이션을 수행하기 위한 허용 한도(예: 관련성이 있는 불순물 함량 측정에 대한 허용 한도) 및 파라미터(적절할 경우, 특이성, 직선성, 범위, 정확성, 정밀성, 정량한계 및 검출한계)를 표 형식으로 기재한다.

제2상 및 제3상 임상시험에 대한 정보
사용된 시험법의 적합성(Suitability)이 증명되어야 한다. 수행된 밸리데이션의 결과는 요약된 표로 제시되어야 한다 (예: 적절할 경우, 특이성, 직선성, 범위, 정확성, 정밀성, 정량한계 및 검출한계에 대한 결과 또는 수치). 전체 밸리데이션 보고서를 제시할 필요는 없다.
식약처장이 인정하는 공정서 규격에 적합한 물질은 해당 규격을 인용하는 것으로 충분하다.

Regulation and Guideline : IND-생물의약품

임상 개발 기간 동안 시험방법 밸리데이션은 발전 과정에 있다.
식약처장이 인정하는 공정서에 수재되었거나 수재된 품목과 관련된 시험방법은 일반적으로 밸리데이션이 되었다고 간주한다.
제1상 임상시험의 경우, 사용되는 시험법의 적합성을 확증한다. 시험법의 밸리데이션을 수행하기 위한 허용 한도(예: 관련성이 있는 불순물 함량 측정에 대한 허용 한도) 및 파라미터(적절할 경우, 특이성, 직선성, 범위, 정확성, 정밀성, 정량한계 및 검출한계)를 표 서식으로 기재한다.

제2상 및 제3상 임상시험에 대한 정보
사용된 시험법의 적합성을 증명한다. 수행한 밸리데이션의 결과 요약표를 기재한다(예: 적절할 경우, 특이성, 직선성, 범위, 정확성, 정밀성, 정량한계 및 검출한계에 대한 결과 또는 수치). 전체 밸리데이션 보고서를 제시할 필요는 없다.

Regulation and Guideline : NDA-의약품

Analytical validation information, including experimental data for the analytical procedures used for testing the drug substance, should be provided.
Reference ICH Guidelines: Q2A, Q2B, and Q6B

원료의약품 시험에 사용되는 시험방법에 대한 실측치를 포함한 시험법 밸리데이션을 기재한다.

Regulation and Guideline : NDA-생물의약품

원료의약품 시험에 사용되는 시험방법에 대한 실측치를 포함한 시험법 밸리데이션을 기재한다.

Regulation and Guideline : NDA-첨단의약품

NDA-생물의약품과 동일

3.2.S.4.4. 배치 분석 / Batch Analyses

Regulation and Guideline : IND-의약품

현 임상시험 및 비임상시험에 사용하는 배치, 그리고 해당될 경우 선행 임상시험에서 사용한 모든 배치에 대한 시험성적서 또는 배치 결과를 제시한다. 현 임상시험에서 사용하는 배치에 관한 분석자료가 없는 경우 대표 배치의 자료를 제출할 수도 있다.

배치 번호, 배치 크기, 제조소, 제조 일자, 관리 방법, 허용 기준 및 시험 결과를 목록으로 작성한다.

2.S.2.2장에 서술한 대로 각 배치에 사용한 제조 공정을 기재한다.

Regulation and Guideline : IND-생물의약품

처음에는 기준이 매우 넓을 수 있어 품질 평가를 위해 실제 배치 자료가 중요하다. 정량적 파라미터는 실제 수치를 기재한다.

해당 임상시험에서 사용되는 배치의 품질을 증명한다(확립된 예비 기준에 적합함). 초기 단계 임상시험은 배치의 수가 한정되어 있으므로 임상시험에 사용하는 배치외에 이전 비임상 및 임상 배치에 대한 결과도 함께 표로 기재한다. 생산 이력이 늘어나면, 적절한 근거가 있을 경우 일부 대표 배치의 결과만 제시할 수 있다.

배치의 용도, 배치 번호, 배치 크기, 제조소, 제조일자, 관리 방법, 허용 기준 및 시험 결과를 목록으로 작성한다. 각 배치에 사용한 제조 공정을 확인한다.

Regulation and Guideline : NDA-의약품

Description of batches and results of batch analyses should be provided.
Reference ICH Guidelines: Q3A, Q3C, Q6A, and Q6B

뱃치에 대한 정보 및 뱃치 분석결과를 기재한다.

Regulation and Guideline : NDA-생물의약품

뱃치에 대한 정보 및 뱃치 분석결과를 기재한다.

Regulation and Guideline : NDA-첨단의약품

NDA-생물의약품과 동일

3.2.S.4.5. 기준 설정근거 / Justification of Specification(s)

Regulation and Guideline : IND-의약품

2.S.4.1에서 언급한 약전을 인용할 수 없는 물질은 완제의약품의 성능과 관련이 있을 수 있는 불순물 및 모든 기타 파라미터에 대해 불순물의 관리에 사용한 방법뿐만 아니라 안전성 및 독성 자료에 근거하여 간략한 기준 설정 근거 및 허용 기준을 기재한다. 합성에 사용한 용매 및 촉매도 고려한다.

Regulation and Guideline : IND-생물의약품

순도, 불순물, 생물학적 활성 및 의약품 성능과 관련된 기타 품질 속성에 대한 기준 및 허용 기준에 대한 근거를 기재한다. 기준 설정 근거는 관리시 사용된 시험법을 고려하여 관련 개발 자료, 비임상시험 및 임상시험 사용 배치와 안정성 시험자료를 기초로 한다. 초기 임상 개발 동안에는 허용 기준이 넓어지고 공정 능력을 반영하지 않을 수도 있다. 제한적인 경험만 있을 경우, 제1상/제2상 임상시험에서는 더넓은 한도가 설정될 수 있다. 그러나, 시험대상자의 안전에 영향을 미칠 수 있는 품질 속성의 경우, 활용 가능한 정보(예: 공정 능력, 제품 유형, 용량, 투여 기간 등)를 감안하여 신중히 한도를 설정한다. 선택된 역가 시험은 관련성과 허용 한도(안)의 근거를 제시한다.
이전에 적용된 기준을 변경할 경우(예: 파라미터의 추가 또는 삭제, 허용 기준의 확대) 근거가 제시되어야 한다.

Regulation and Guideline : NDA-의약품

Justification for the drug substance specification should be provided.
Reference ICH Guidelines: Q3A, Q3C, Q6A and Q6B

원료의약품의 기준설정에 대한 근거를 기재한다.

Regulation and Guideline : NDA-생물의약품

원료의약품의 기준설정에 대한 근거를 기재한다.

Regulation and Guideline : NDA-첨단의약품

NDA-생물의약품과 동일

3.2.S.5. 표준품 또는 표준 물질 / Reference Standards or Materials

Regulation and Guideline : IND-의약품

해당될 경우, 표준품을 확립하기 위해 사용한 원료의약품 배치의 특성 파라미터를 기재한다.
방사성의약품은 교정에 사용한 표준품과 비-방사성 (cold) 표준품에 대한 자료를 기재 한다.

Regulation and Guideline : IND-생물의약품

생물학/생명공학 유래 제품의 특성때문에 임상시험용의약품의 배치들 간의 일관성(consistency), 시판될 제품과 동등성 (comparability)을 보장하고, 공정 개발과 상업적 생산 사이의 관련성 제공을 위해 특성 분석이 잘된 표준물질이 필요 하다. 표준물질의 특성 분석은 신뢰성 있는 최신 시험법으로 수행되고 충분히 기재되어야 한다. 표준물질을 확립하기 위 해 사용된 제조 공정과 관련 정보도 기재한다.

임상 개발기간 동안 1개 이상의 표준품이 사용되었다면 표준품들간의 관계가 적절히 유지되었음을 확인할 수 있는 품질 평가 이력을 제시한다.

가능한 경우, 공인된 표준품(국제 또는 국가포준품)을 일차 표준물로 사용한다. 그러나, 공인된 표준품은 일부 정의된 시험방법(예: 생물학적 활성)에만 제한적으로 사용할 수 있다. 공인된 표준품을 사용할 수 없는 경우 자사 표준물질을 확 립한다.

Regulation and Guideline : NDA-의약품

Information on the reference standards or reference materials used for testing of the drug substance should be provided.
Reference ICH Guidelines: Q6A and Q6B

원료의약품의 시험에 사용한 표준품 또는 표준물질에 대해 기재한다.

Regulation and Guideline : NDA-생물의약품

원료의약품의 시험에 사용한 표준품 또는 표준물질에 대해 기재한다.

Regulation and Guideline : NDA-첨단의약품

NDA-생물의약품과 동일

3.2.S.6. 용기 및 포장 / Container Closure System

Regulation and Guideline : IND-의약품

> 원료의약품에 사용하는 일차 포장재를 서술한다.

Regulation and Guideline : IND-생물의약품

> 원료의약품에 사용된 일차 포장재를 서술한다. 원료의약품과 일차 포장 간에 상호작용이 발생할 가능성이 있는지 고려한다.

Regulation and Guideline : NDA-의약품

> A description of the container closure system(s) should be provided, including the identity of materials of construction of each primary packaging component, and their specifications. The specifications should include description and identification (and critical dimensions with drawings, where appropriate). Non-compendial methods (with validation) should be included, where appropriate.
> For non-functional secondary packaging components (e.g., those that do not provide additional protection), only a brief description should be provided. For functional secondary packaging components, additional information should be provided.
> The suitability should be discussed with respect to, for example, choice of materials, protection from moisture and light, compatibility of the materials of construction with the drug substance, including sorption to container and leaching, and/or safety of materials of construction.

> 일차 포장재의 구성성분과 기준 및 시험방법을 포함하는 용기 및 포장재에 대해 기재한다. 성상, 확인시험 및 필요시 주요 치수를 포함한 적합한 도면을 포함하고, 공정서 이외의 시험방법은 밸리데이션 자료를 제출한다.
> 비기능성 이차 포장재에 대해서는 간단하게 기재한다. 기능성 이차 포장재에 대해서는 추가정보를 기재한다.
> 적합성(suitability)는 예를 들어 재료의 선택, 습기나 빛으로부터의 보호, 용기 흡착, 유리 또는 구성성분의 안전성에 대해 기재한다.

Regulation and Guideline : NDA-생물의약품

> 일차 포장재의 구성성분과 기준 및 시험방법을 포함하는 용기 및 포장재에 대해 기재한다. 성상, 확인시험 및 필요시 주요 치수를 포함한 적합한 도면을 포함하고, 공정서 이외의 시험방법은 밸리데이션 자료를 제출한다.
> 비기능성 이차 포장재에 대해서는 간단하게 기재한다. 기능성 이차 포장재에 대해서는 추가정보를 기재한다.
> 적합성(suitability)는 예를 들어 재료의 선택, 습기나 빛으로부터의 보호, 용기 흡착, 유리 또는 구성성분의 안전성에 대해 기재한다.

Regulation and Guideline : NDA-첨단의약품

> NDA-생물의약품과 동일

3.2.S.7. 안정성 / Stability

Regulation and Guideline : IND-의약품

> 각의 개발 단계에서 입수된 안정성 자료를 표로 요약한다. 원료의약품의 안정성에 중요하다고 알려진 파라미터, 즉 화학적 및 물리적 민감도 (예: 광과민성, 흡습성)를 제시할 필요가 있다. 잠재적인 분해 경로를 서술한다.
> 그렇지 않더라도 원료의약품이 약전 규격에 해당될 경우, 사용시점에서 원료의약품이 기준을 충족한다는 확증이 있으면 받아들여질 것이다.

Regulation and Guideline : IND-생물의약품

> **1) 안정성 요약과 결론(Stability Summary and Conclusions(protocol / material and method)**
>   제안된 원료의약품의 보관 기간을 보장하는 안정성 시험계획(기준, 시험법 및 시험 간격 포함)을 기재한다. 시험 간격은 일반적으로 ICH Q5C를 따른다.

안정성 프로그램의 대상이 되는 원료의약품 배치의 품질은 계획된 임상시험에 사용될 물질의 품질을 대표할 수 있어야 한다.

안정성 프로그램의 대상이 되는 원료의약품은 임상시험 배치 제조 시 사용된 원료의약품의 용기 및 포장과 동일한 유형과 재료의 용기에 담아서 보관한다. 원료의약품의 안정성 시험에는 일반적으로 크기를 줄인 용기의 사용이 허용된다.

안정성시험은 제안된 보관 조건에서 원료의약품의 안정성을 평가하여야 한다. 제품 분해 프로파일의 이해 및 사용기간 연장을 위해 가속 및 가혹 조건 시험이 권장된다.

안정성시험 계획에는 원료의약품의 순도/불순물 프로파일과 역가 변화를 검출할 수 있는 시험이 포함되어야 한다. 다른 근거가 없는 경우, 역가 시험은 안정성시험계획에 포함되어야 한다.

생물학/생명공학 유래 원료의약품은 ICH Q1A 가이드라인에 정의되어 있는 재시험 기간이 적용되지 않는다.

2) 안정성 자료(Stability data / results)

임상시험용 물질은 제조 공정을 대표하는 1개 이상의 배치에 대해 안정성 자료를 기재한다. 관련 개발 배치 또는 이전 제조 공정을 사용하여 제조된 배치에 대한 안정성 자료도 제시한다. 그런 배치 자료는 임상시험용 물질의 품질을 대표할 수 있는 근거를 적절히 제시할 경우 원료의약품의 사용기간을 정할 때 사용될 수 있다.

안정성 자료는 표 서식으로 요약하고, 배치 시험일, 제조일자, 공정 버전, 조성, 보관 조건, 측정 시점, 시험방법, 허용 기준 및 결과를 기재한다.

정량적 파라미터는 실제 수치를 기재한다. 모든 관찰된 자료의 경향이 제시되어야 한다.

임상 개발 과정 동안 원료의약품의 안정성에 대해 확보된 자료의 양과 정보를 반영할 수 있도록 점진적인 요건이 적용될 필요가 있다. 제3상 임상시험의 경우 원료의약품의 안정성 프로파일을 포괄적으로 이해되어야 한다.

3) 사용(유효)기한 설정(Shelf-life determination)

원료의약품의 안정성에 대해 확보된 자료에 대한 평가를 바탕으로 제안된 보관 조건하의 원료의약품의 사용기간을 기재한다. 관찰된 모든 자료의 경향이 고려되어야 한다.

보관 기간은 ICH Q5C에 서술된 대로, 장기, 실시간 및 실제 온도 안정성 시험에 근거하여 설정한다. 그러나, 실시간 안정성 자료의 범위를 초과하는 사용기간의 연장은 가속 시험을 포함한 관련 자료에 의해 근거가 타당하면 허용된다.

연장 후 최대 사용기간은 대표 배치에 따라 제시된 안정성 자료의 2배나 12개월 이상을 초과하지 않는다. 그러나, 계획된 장기보존시험의 기간을 초과하는 연장은 허용되지 않는다.

안정성시험계획을 세울 때 플랫폼 기술을 포함한 예비 지식을 고려할 수 있다. 그러나, 이 자료 자체로는 실제 임상시험용의약품의 사용기간에 대한 근거가 되기에 충분하지 않다.

사용기간의 연장을 계획할 경우, 의뢰자는 제출한 계획에 따라 안정성 프로그램을 이행하고, 예기치 못한 이슈가 발생할 경우 관할 당국에 모든 시정 조치계획(CAPA)을 포함하여 해당 상황을 보고한다는 이행 서약을 해야 한다.

Regulation and Guideline : NDA-의약품

This section should include a summary of the studies undertaken (conditions, batches, analytical procedures) and a brief discussion of the results and conclusions, the proposed storage conditions, retest date or shelf-life, where relevant, as described in 3.2.S.7.1.
The post-approval stability protocol, as described in 3.2.S.7.2, should be included.
A tabulated summary of the stability results from 3.2.S.7.3, with graphical representation where appropriate, should be provided.

3.2.S.7.1에서 설명된 것과 같이 수행된 시험의 요약(조건, 뱃치, 시험방법)과 결과의 간략한 고찰 및 결론의 요약, 보관조건, 재시험일자 또는 유효기간에 대한 사항을 포함한다.
3.2.S.7.2에서 설명된 것과 같이 승인 후의 안정성 시험계획을 포함한다.
3.2.S.7.3에서 얻은 안정성 결과의 도표 요약은 필요시 그래프와 함께 제공하여야 한다.

Regulation and Guideline : NDA-생물의약품

3.2.S.7.1에서 설명된 것과 같이 수행된 시험의 요약(조건, 뱃치, 시험방법)과 결과의 간략한 고찰 및 결론의 요약, 보관조건, 재시험일자 또는 유효기간에 대한 사항을 포함한다.
3.2.S.7.2에서 설명된 것과 같이 승인 후의 안정성 시험계획을 포함한다.
3.2.S.7.3에서 얻은 안정성 결과의 도표 요약은 필요시 그래프와 함께 제공하여야 한다.

Regulation and Guideline : NDA-첨단의약품

NDA-생물의약품과 동일

3.2.P. 완제의약품 / DRUG PRODUCT
(임상시험용 의약품 / Investigational Medicinal Product Under Test)

3.2.P.1. 완제의약품의 개요와 조성 / Description and Composition of the Drug Product
(임상시험용의약품의 개요와 조성 / Description and Composition of the Investigational Medicinal Product)

Regulation and Guideline : IND-의약품

임상시험용 의약품의 정성적 및 정량적 조성을 서술한다. 제형(dosage form)에 대한 간략한 서술 또는 표, 그리고 각 첨가제의 기능이 포함되어야 한다.
이와 더불어, 방사성의약품은 방사능의 단위를 설정한다.

Regulation and Guideline : IND-생물의약품

임상시험용의약품의 정성적 및 정량적 조성에 대하여 다음 정보를 포함하여 서술한다.
- 제형에 대한 간략한 서술 또는 표
- 조성, 즉, 제형의 모든 성분 및 단위 당 분량 목록(만약에 있다면, 과다투입량 포함), 성분의 기능, 그리고 품질 관련기준(예: 공정서 기준 또는 제조원 자사기준)
- 첨부된 희석제
- 제형 및 재용해 희석제(해당될 경우)에 사용된 용기 및 포장 유형

Regulation and Guideline : NDA-의약품

A description of the drug product and its composition should be provided. The information provided should include, for example:
- **Description** of the dosage form;
- Composition, i.e., list of all components of the dosage form, and their amount on a per- unit basis (including overages, if any) the function of the components, and a reference to their quality standards (e.g., compendial monographs or manufacturer's specifications)
- Description of accompanying reconstitution diluent(s); and
- Type of container and closure used for the dosage form and accompanying reconstitution diluent, if applicable.
Reference ICH Guidelines: Q6A and Q6B

Description : For a drug product supplied with reconstitution diluent(s), the information on the diluent(s) should be provided in a separate part "P", as appropriate

완제의약품의 개요와 조성에 대한 사항을 기재한다.
- 제형에 대한 사항
- 조성, 즉, 제형의 모든 배합성분 및 단위제형당 분량(필요시 과다투입량 포함), 배합목적 및 규격
- 첨부용제에 대한 설명
- 제형에 사용된 용기와 마개의 유형, 필요시 첨부용제의 용기와 마개의 유형

Regulation and Guideline : NDA-생물의약품

완제의약품의 개요와 조성에 대한 사항을 기재한다.
- 제형에 대한 사항
- 조성, 즉, 제형의 모든 배합성분 및 단위제형당 분량(필요시 과다투입량 포함), 배합목적 및 규격
- 첨부용제에 대한 설명
- 제형에 사용된 용기와 마개의 유형, 필요시 첨부용제의 용기와 마개의 유형

Regulation and Guideline : NDA-첨단의약품

NDA-생물의약품과 동일

3.2.P.2. 개발 경위 / Pharmaceutical Development

Regulation and Guideline : IND-의약품

새로운 제형(new pharmaceutical form) 또는 첨가제를 사용한 근거를 포함하여 제형(formulation) 개발 경위를 간략하게 서술한다.

개발 초기에는 이 장에 포함될 정보가 없거나 제한적일 수 있다.

해당될 경우, 재용해를 위한 용매, 희석제 및 혼합물의 적합성을 증명한다. 즉석 조제 의약품 (예: 사용 전에 재용해하거나 희석하는 제품)은 조제 방법을 요약하고 임상시험계획서에 상세하게 서술한다.

방사성의약품 조제용 키트는 의도한 용도에 방사성-표지를 사용한 방법이 적합한지 증명해야 한다 (랫트/설치류에 대한 방사성-표지 후 생리학적 분포 결과 포함). 방사성-핵종 제너레이터는 용출 매질의 적합성을 증명한다. 방사성의약품은 의도한 방사성 농도에서 방사분해가 유도되는지 증명한다.

제2상 및 제3상 임상시험에 대한 추가 정보
이전 임상시험에서 사용한 임상시험용의약품과 비교할 때 제형화(formulation) 또는 제형(dosage form)의 변경이 있는 경우, 시험에 사용하는 제품과 이전 제품의 관련성을 서술한다. 잠재적인 임상 관련성이 있는 제형(dosage form) 특이적인 품질 관련 파라미터 (예: in vitro 용출률)가 변경된 경우에는 특별한 고려를 한다.

Regulation and Guideline : IND-생물의약품

개발 초기에는 이 장에 포함될 정보가 없거나 제한적일 수 있다.

새로운 제형 또는 첨가제를 사용한 근거를 포함하여 제형 개발 경위를 간략히 서술한다.

의약품의 추가 조제가 필요한 제품인 경우(예: 재용해, 희석, 혼합), 사용된 물질(예: 용매, 희석제 등)의 적합성을 증명하고 조제 방법을 요약한다(임상시험계획서에 상세하게 서술되어 있다고 언급할 수도 있다).

제제가 포장재와 함께 사용될 경우 정확한 투여에 영향을 주지 않는다는 사실을 기재한다.(예를 들어, 제품이 용기 또는 주입 시스템의 벽에 흡착되지 않음을 보증) 특히 저용량 및 고희석 제제와 관련이 있다. 해당되는 경우, 최초 인체 적용 (first-in-human) 임상시험에서는 신뢰할 수 있는 매우 작은 용량의 투여를 다루어야 한다.

Regulation and Guideline : NDA-의약품

The Pharmaceutical Development section should contain information on the development studies conducted to establish that the dosage form, the formulation, manufacturing process, container closure system, microbiological attributes and usage instructions are appropriate for the purpose specified in the application. The studies described here are distinguished from routine control tests conducted according to specifications. Additionally, this section should identify and describe the formulation and process attributes (critical parameters) that can influence batch reproducibility, product performance and drug product quality. Supportive data and results from specific studies or published literature can be included within or attached to the Pharmaceutical Development section. Additional supportive data can be referenced to the relevant nonclinical or clinical sections of the application.
Reference ICH Guidelines: Q6A and Q6B

개발경위항은 제형, 제제설계, 제조공정, 용기 및 마개, 미생물학적 특성, 사용방법이 신청서류에서 정한 목적에 적절한지를 확인하기 위해 수행된 개발과정 및 결과를 기재한다. 또한 뱃치간 재현성, 제제 성능(product performance), 완제의약품 품질에 영향을 미칠 수 있는 제제 조성, 주요 공정조건을 기재한다. 특정연구 및 문헌에서 얻어진 추가 자료나 결과를 본 항에 기재하거나 첨부할 수 있다. 또한 신청서류 중 비임상시험항 또는 임상시험항의 자료 일부가 참조로 인용될 수 있다.

Regulation and Guideline : NDA-생물의약품

개발경위항은 제형, 제제설계, 제조공정, 용기 및 마개, 미생물학적 특성, 사용방법이 신청서류에서 정한 목적에 적절한지를 확인하기 위해 수행된 개발과정 및 결과를 기재한다. 또한 뱃치간 재현성, 제제 성능(product performance), 완제의약품 품질에 영향을 미칠 수 있는 제제 조성, 주요 공정조건을 기재한다. 특정연구 및 문헌에서 얻어진 추가 자료나 결과를 본 항에 기재하거나 첨부할 수 있다. 또한 신청서류 중 비임상시험항 또는 임상시험항의 자료 일부가 참조로 인용될 수 있다.

Regulation and Guideline : NDA-첨단의약품

NDA-생물의약품과 동일

3.2.P.2.1. 완제의약품의 조성 / Components of the Drug product

Regulation and Guideline : IND-의약품

[3.2.P.2.1. 제조공정 개발 / Manufacturing Process Development]
제1상 및 제2상 임상시험에서 각각 사용한 제조 공정과 비교할 때 현 제조 공정이 변경되었을 경우 이를 설명한다. 잠재적인 임상 관련성이 있는 제형(dosage form) 특이적인 품질 파라미터 (예: in vitro 용출률)가 변경된 경우에는 특별한 고려를 한다.

Regulation and Guideline : IND-생물의약품

[제조공정 개발 / Manufacturing Process Development]
선행 임상시험과 비교하여 변경된 제조 공정을 서술한다(제형화 및 제형의 변경 포함). 유의한 변경(예: 제형화 변경)은 적절한 비교 분석 실험을 통해 지지되어야 한다(2.S.2.6. 참조). 이 자료는 변경을 적절히 이해하고 임상시험 대상자의 안전에 대한 잠재적인 결과를 평가할 수 있을 만큼 상세히 기재한다.

임상시험 단계 동안 제형화의 변경이 있을 경우 이를 문서화하고, 의약품의 품질, 안전성, 임상적 특성, 투여 및 안정성에 미치는 영향에 대해 기재하고 근거를 제시한다.

Regulation and Guideline : NDA-의약품

3.2.P.2.1.1 Drug Substance
The compatibility of the drug substance with excipients listed in 3.2.P.1 should be discussed. Additionally, key physicochemical characteristics (e.g., water content, solubility, particle size distribution, polymorphic or solid state form) of the drug substance that can influence the performance of the drug product should be discussed.
For combination products, the compatibility of drug substances with each other should be discussed.

3.2.P.2.1.2 Excipients
The choice of excipients listed in 3.2.P.1, their concentration, their characteristics that can influence the drug product performance should be discussed relative to their respective functions.

3.2.P.2.1.1. 원료의약품 / Drug Substance
원료의약품과 3.2.P.1. 완제의약품의 개요와 조성항에 기재된 첨가제와의 배합 적합성을 기재한다. 완제의약품의 성능(performance)에 영향을 미칠 수 있는 원료의약품의 중요한 물리화학적 특성(예 : 수분, 용해도, 입자분포도, 결정다형 또는 고체형태 등)을 기재한다.
복합제의 경우는 원료의약품간의 배합 적합성을 기재한다.

3.2.P.2.1.2. 첨가제 / Excipients
3.2.P.1. 원료의약품의 개요와 조성항에 기재된 첨가제의 선택사유 및 분량, 완제의약품의 성능(performance)에 영향을 미칠 수 있는 특성 등을 각각의 기능(배합목적)에 연관하여 기재한다.

Regulation and Guideline : NDA-생물의약품

3.2.P.2.1.1. 원료의약품(Drug Substance)
원료의약품과 3.2.P.1. 완제의약품의 개요와 조성항에 기재된 첨가제와의 배합 적합성을 기재한다. 완제의약품의 성능

(performance)에 영향을 미칠 수 있는 원료의약품의 중요한 물리화학적 특성(예 : 수분, 용해도, 입자분포도, 결정다형 또는 고체형태 등)을 기재한다.
복합제의 경우는 원료의약품간의 배합 적합성을 기재한다.

3.2.P.2.1.2. 첨가제(Excipients)
3.2.P.1. 원료의약품의 개요와 조성항에 기재된 첨가제의 선택사유 및 분량, 완제의약품의 성능(performance)에 영향을 미칠 수 있는 특성 등을 각각의 기능(배합목적)에 연관하여 기재한다.

Regulation and Guideline : NDA-첨단의약품

NDA-생물의약품과 동일

3.2.P.2.2. 완제의약품 / Drug Product

Regulation and Guideline : IND-의약품

N/A

Regulation and Guideline : IND-생물의약품

N/A

Regulation and Guideline : NDA-의약품

3.2.P.2.2.1 Formulation Development
A brief summary describing the development of the drug product should be provided, taking into consideration the proposed route of administration and usage. The differences between clinical formulations and the formulation (i.e. composition) described in 3.2.P.1 should be discussed. Results from comparative in vitro studies (e.g., dissolution) or comparative in vivo studies (e.g., bioequivalence) should be discussed when appropriate.

3.2.P.2.2.2   Overages
Any overages in the formulation(s) described in 3.2.P.1 should be justified.

3.2.P.2.2.3   Physicochemical and Biological Properties
Parameters relevant to the performance of the drug product, such as pH, ionic strength, dissolution, redispersion, reconstitution, particle size distribution, aggregation, polymorphism, rheological properties, biological activity or potency, and/or immunological activity, should be addressed.

3.2.P.2.2.1. 제제 개발 / Formulation Development
완제의약품의 개발을 투여경로와 용법을 고려하여 간단하게 기재한다. 임상시험용의약품의 제제와 3.2.P.1. 완제의약품의 개요와 조성항에서 설명한 제제(즉, 조성)을 고려하여 기재한다.
시험관내 비교시험(예: 용출시험) 또는 생체내 비교시험(예: 생물학적동등성시험)에서 얻은 결과는 필요에 따라 기재한다.

3.2.P.2.2.2. 과다투입량 / Overages
3.2.P.1. 완제의약품의 개요와 조성항에 설명한 제제에 과다투입이 있는 경우에는 그 타당성을 입증한다.

3.2.P.2.2.3. 물리화학적 및 생물학적 특성 / Physicochemical and Biological Properties
pH, 이온강도, 용출, 재분산, 재용해(reconstitution), 입자분포도(해설서에 시험법등 언급), 응집, 결정다형 (polymorphism), 유동학적 특성(rheological properties), 생물학적 활성 또는 역가 및 면역학적 활성 등과 같은 완제의약품의 성능과 관련된 사항을 기재한다.

Regulation and Guideline : NDA-생물의약품

3.2.P.2.2.1. 제제 개발 / Formulation Development
완제의약품의 개발을 투여경로와 용법을 고려하여 간단하게 기재한다. 임상시험용의약품의 제제와 3.2.P.1. 완제의약품의 개요와 조성항에서 설명한 제제(즉, 조성)을 고려하여 기재한다.
시험관내 비교시험(예: 용출시험) 또는 생체내 비교시험(예: 생물학적동등성시험)에서 얻은 결과는 필요에 따라 기재한다.

3.2.P.2.2.2. 과다투입량 / Overages
3.2.P.1. 완제의약품의 개요와 조성항에 설명한 제제에 과다투입이 있는 경우에는 그 타당성을 입증한다.

3.2.P.2.2.3. 물리화학적 및 생물학적 특성 / Physicochemical and Biological Properties
pH, 이온강도, 용출, 재분산, 재용해(reconstitution), 입자분포도(해설서에 시험법등 언급), 응집, 결정다형 (polymorphism), 유동학적 특성(rheological properties), 생물학적 활성 또는 역가 및 면역학적 활성 등과 같은 완제의약품의 성능과 관련된 사항을 기재한다.

Regulation and Guideline : NDA-첨단의약품

NDA-생물의약품과 동일

3.2.P.2.3. 제조공정 개발 / Manufacturing Process Developement

Regulation and Guideline : IND-의약품

N/A (3.2.P.2.1. 참고)

Regulation and Guideline : IND-생물의약품

N/A (3.2.P.2.1. 참고)

Regulation and Guideline : NDA-의약품

The selection and optimisation of the manufacturing process described in 3.2.P.3.3, in particular its critical aspects, should be explained. Where relevant, the method of sterilisation should be explained and justified.
Differences between the manufacturing process(es) used to produce pivotal clinical batches and the process described in 3.2.P.3.3 that can influence the performance of the product should be discussed.

3.2.P.3.3. 제조공정 및 공정관리항에 기재한 제조공정의 선정과 최적화에 대해 특히 중요한 측면에 대하여 기재한다. 필요시 멸균방법을 기재하고, 그 타당성을 입증한다.
주요 임상시험용 뱃치(pivotal clinical batches)의 제조공정과 3.2.P.3.3. 제조공정 및 공정관리항에 기재한 공정 사이에 완제의약품의 성능(performance of the product)에 영향을 줄 수 있는 차이점이 있는 경우에는 이를 고찰한다.

Regulation and Guideline : NDA-생물의약품

3.2.P.3.3. 제조공정 및 공정관리항에 기재한 제조공정의 선정과 최적화에 대해 특히 중요한 측면에 대하여 기재한다. 필요시 멸균방법을 기재하고, 그 타당성을 입증한다.
주요 임상시험용 뱃치(pivotal clinical batches)의 제조공정과 3.2.P.3.3. 제조공정 및 공정관리항에 기재한 공정 사이에 완제의약품의 성능(performance of the product)에 영향을 줄 수 있는 차이점이 있는 경우에는 이를 고찰한다.

Regulation and Guideline : NDA-첨단의약품

NDA-생물의약품과 동일

3.2.P.2.4. 용기 및 포장 / Container Closure System

Regulation and Guideline : IND-의약품

N/A

Regulation and Guideline : IND-생물의약품

N/A

Regulation and Guideline : NDA-의약품

The suitability of the container closure system (described in 3.2.P.7) used for the storage, transportation (shipping) and use of the drug product should be discussed. This discussion should consider, e.g., choice of materials, protection from moisture and light, compatibility of the materials of construction with the dosage form (including sorption to container and leaching) safety of materials of construction, and performance (such as reproducibility of the dose delivery from the device when presented as part of the drug product).

저장, 운반(선적) 및 완제의약품의 용기 포장에 사용된 용기 및 포장의 적합성(suitability)을 고찰한다. 이 항에는 재료의 선택, 습기와 빛으로부터 보호, 직접용기 구성성분과 의약품과의 적합성(compatiblity)(용기흡착, 유리 포함), 직접용기 구성재료의 안전성, 성능(첨부한 투약용기의 재현성 등)을 기재한다.

Regulation and Guideline : NDA-생물의약품

저장, 운반(선적) 및 완제의약품의 용기 포장에 사용된 용기 및 포장의 적합성(suitability)을 고찰한다. 이 항에는 재료의 선택, 습기와 빛으로부터 보호, 직접용기 구성성분과 의약품과의 적합성(compatiblity)(용기흡착, 유리 포함), 직접용기 구성재료의 안전성, 성능(첨부한 투약용기의 재현성 등)을 기재한다.

Regulation and Guideline : NDA-첨단의약품

NDA-생물의약품과 동일

3.2.P.2.5. 미생물학적 특성 / Microbiological Attributes

Regulation and Guideline : IND-의약품

N/A

Regulation and Guideline : IND-생물의약품

N/A

Regulation and Guideline : NDA-의약품

Where appropriate, the microbiological attributes of the dosage form should be discussed, including, for example, the rationale for not performing microbial limits testing for non- sterile products and the selection and effectiveness of preservative systems in products containing antimicrobial preservatives. For sterile products, the integrity of the container closure system to prevent microbial contamination should be addressed.

필요한 경우 제형의 미생물학적 특성(예: 비무균 제품은 미생물 한도 시험을 수행하지 않은 사유, 항균 효과가 있는 보존제를 함유하는 경우 보존시스템의 선정과 효능을 포함한다)을 고찰한다. 무균제품은 미생물 오염을 방지하기 위한 용기 및 포장의 보전성(integrity)을 기재한다.

Regulation and Guideline : NDA-생물의약품

필요한 경우 제형의 미생물학적 특성(예: 비무균 제품은 미생물 한도 시험을 수행하지 않은 사유, 항균 효과가 있는 보존제를 함유하는 경우 보존시스템의 선정과 효능을 포함한다)을 고찰한다. 무균제품은 미생물 오염을 방지하기 위한 용기 및 포장의 보전성(integrity)을 기재한다.

Regulation and Guideline : NDA-첨단의약품

NDA-생물의약품과 동일

3.2.P.2.6. 적합성 / Compatibility

Regulation and Guideline : IND-의약품

N/A

Regulation and Guideline : IND-생물의약품

N/A

Regulation and Guideline : NDA-의약품

The compatibility of the drug product with reconstitution diluent(s) or dosage devices (e.g., precipitation of drug substance in solution, sorption on injection vessels, stability) should be addressed to provide appropriate and supportive information for the labeling.

완제의약품의 용제 또는 투약용기(예: 용액 중 원료의약품의 침전, 주사용기에 흡착, 안정성)와의 적합성을 기재하고, 첨부 문서 등에 표시할 필요한 정보를 기재한다.

Regulation and Guideline : NDA-생물의약품

완제의약품의 용제 또는 투약용기(예: 용액 중 원료의약품의 침전, 주사용기에 흡착, 안정성)와의 적합성을 기재하고, 첨부 문서 등에 표시할 필요한 정보를 기재한다.

Regulation and Guideline : NDA-첨단의약품

NDA-생물의약품과 동일

3.2.P.3. 제조 / manufacture

3.2.P.3.1. 제조원 / Manufacturer(s)

Regulation and Guideline : IND-의약품

수탁업소와 각 사업소를 포함하여 제조 및 시험에 관여하는 모든 제조원의 명칭, 주소 및 책임 범위를 기재한다. 복수의 제조원이 임상시험용의약품의 제조에 참여할 경우, 각각의 책임 부과 범위를 명확하게 서술할 필요가 있다.

Regulation and Guideline : IND-생물의약품

제조, 시험 및 배치 출하에 관련된 모든 제조원, 수탁 업체 등의 명칭, 주소, 책임부과범위(Responsibility)를 기재한다. 복수의 제조원이 제조에 관여할 경우, 각각의 책임 부과 범위를 명확히 서술한다.

Regulation and Guideline : NDA-의약품

The name, address, and responsibility of each manufacturer, including contractors, and each proposed production site or facility involved in manufacturing and testing should be provided.

수탁업소를 포함한 각 제조원, 시험기관의 각 명칭, 주소, 책임소재를 기재한다.

Regulation and Guideline : NDA-생물의약품

수탁업소를 포함한 각 제조원, 시험기관의 각 명칭, 주소, 책임소재를 기재한다.

Regulation and Guideline : NDA-첨단의약품

NDA-생물의약품과 동일

3.2.P.3.2. 배치 조성 / Batch Formula

Regulation and Guideline : IND-의약품

임상시험에서 사용하는 제조단위에 대해 배치 조성을 기재한다. 관련성이 있을 경우, 적절한 배치 크기의 범위를 제시할 수 있다.

Regulation and Guideline : IND-생물의약품

임상시험에 사용하는 배치에 대해 배치 조성을 기재한다. 사용된 모든 성분의 목록이 포함되어야 한다. 배치 크기 또는 배치 크기의 범위를 기재한다.

Regulation and Guideline : NDA-의약품

A batch formula should be provided that includes a list of all components of the dosage form to be used in the manufacturing process, their amounts on a per batch basis, including overages, and a reference to their quality standards.

뱃치 조성은 제조과정에서 사용되는 제형의 모든 조성, 과다 투입량을 포함하여 뱃치당 분량, 규격(quality standard)을 기재한다.

Regulation and Guideline : NDA-생물의약품

뱃치 조성은 제조과정에서 사용되는 제형의 모든 조성, 과다 투입량을 포함하여 뱃치당 분량, 규격(quality standard)을 기재한다.

Regulation and Guideline : NDA-첨단의약품

NDA-생물의약품과 동일

3.2.P.3.3. 제조공정 및 공정관리 / Description of Manufacturing Process and Process Controls

Regulation and Guideline : IND-의약품

시판된 제품의 모든 변경 단계와 수행되어지는 공정관리를 기술한다. 자세한 내용은 2.P.3.3을 참고한다.

Regulation and Guideline : IND-생물의약품

공정 중 시험이 포함된 모든 단계에 대한 공정 흐름도를 기재한다. 공정 중 시험의 결과는 조치 한도(action limits)로서 기록되거나 예비 허용 기준으로서 보고될 수 있다. 개발 과정 동안 공정 지식이 쌓이면, 공정 중 시험 및 기준을 더 상세하게 기재하고 허용 기준을 재검토한다.

재조합 단백질 및 단클론 항체가 들어 있는 대부분의 제품은 비표준적이라고 간주되는 무균 공정에 의해 제조된다. 비표준적 제조공정 또는 신기술이나 새로운 포장 공정은 충분히 상세하게 서술한다.

Regulation and Guideline : NDA-의약품

A flow diagram should be presented giving the steps of the process and showing where materials enter the process. The critical steps and points at which process controls, intermediate tests or final product controls are conducted should be identified.

A narrative description of the manufacturing process, including packaging, that represents the sequence of steps undertaken and the scale of production should also be provided. Novel processes or technologies and packaging operations that directly affect product quality should be described with a greater level of detail. Equipment should, at least, be identified by type (e.g., tumble blender, in-line homogeniser) and working capacity, where relevant.

Steps in the process should have the appropriate process parameters identified, such as time, temperature, or pH. Associated numeric values can be presented as an expected range. Numeric ranges for critical steps should be justified in Section 3.2.P.3.4. In certain cases, environmental conditions (e.g., low humidity for an effervescent product) should be stated.

Proposals for the reprocessing of materials should be justified. Any data to support this justification should be either referenced or filed in this section (3.2.P.3.3).

Additionally for Biotech see 3.2.A.1 for facilities, if appropriate. Reference ICH Guideline:　Q6B

제조공정의 단계, 어느 단계에서 물질이 공정에 투입되는 지에 대한 흐름도를 기재한다. 주요 공정(critical step)과 공정관리, 반제품의 시험 또는 최종제품 품질관리가 이루어지는 단계를 기재한다.

　포장을 포함하여 단계별 제조공정과 생산규모를 상세하게 기재한다. 새로운 공정 또는 완제의약품 품질에 직접적으로 영향을 미치는 기술과 포장작업(novel processes or technology and packaging operation)은 보다 상세하게 기재한다. 장비는 관련된 유형(예 : tumble blender, in-line homogenizer)과 작업 용량에 따라 기재한다.

　각 제조공정 단계별로 시간, 온도 또는 pH 등 적절한 공정 확인지표를 기재한다. 각 지표의 수치는 범위로 표시할 수 있다. 주요공정에 대한 수치 범위는 3.2.P.3.4. 주요공정 및 반제품 관리항에서 설정 근거를 제시한다. 특정의 경우에는 환경적 조건(예: 발포정에서의 낮은 습도)을 포함한다.

　원료 등의 재가공(reprocessing step)은 그 타당성을 기재한다. 타당성의 근거 자료는 이 항에 기재하거나, 참고 자료로 다른 항을 인용할 수 있다.

　생물의약품에 관한 추가 항목 : 필요시 3.2.A.1. 시설에 대한 사항을 참조한다.

Regulation and Guideline : NDA-생물의약품

제조공정의 단계, 어느 단계에서 물질이 공정에 투입되는 지에 대한 흐름도를 기재한다. 주요 공정(critical step)과 공정관리, 반제품의 시험 또는 최종제품 품질관리가 이루어지는 단계를 기재한다.

　포장을 포함하여 단계별 제조공정과 생산규모를 상세하게 기재한다. 새로운 공정 또는 완제의약품 품질에 직접적으로 영향을 미치는 기술과 포장작업(novel processes or technology and packaging operation)은 보다 상세하게 기재한다. 장비는 관련된 유형(예 : tumble blender, in-line homogenizer)과 작업 용량에 따라 기재한다.

　각 제조공정 단계별로 시간, 온도 또는 pH 등 적절한 공정 확인지표를 기재한다. 각 지표의 수치는 범위로 표시할 수 있다. 주요공정에 대한 수치 범위는 3.2.P.3.4. 주요공정 및 반제품 관리항에서 설정 근거를 제시한다. 특정의 경우에는 환경적 조건(예: 발포정에서의 낮은 습도)을 포함한다.

　원료 등의 재가공(reprocessing step)은 그 타당성을 기재한다. 타당성의 근거 자료는 이 항에 기재하거나, 참고 자료로 다른 항을 인용할 수 있다.

　생물의약품에 관한 추가 항목 : 필요시 3.2.A.1. 시설에 대한 사항을 참조한다.

Regulation and Guideline : NDA-첨단의약품

NDA-생물의약품과 동일

3.2.P.3.4. 주요공정 및 반제품 관리 / Controls of Critical Steps and Intermediates

Regulation and Guideline : IND-의약품

이 정보는 제1상 및 제2상 임상시험에서는 아래의 경우를 제외하고 요구되지 않는다.

- 비-표준적 제조 공정
- 무균 제제의 제조 공정

제3상 임상시험에 대한 추가 정보
주요 제조 단계가 확인되었을 경우, 가능한 반제품(intermediates)과 해당 단계의 관리방법(control)에 대해 문서화한다.
반제품을 보관해야 할 경우, 보관 기간 및 조건을 적절하게 관리하고 있다는 것을 증명하여야 한다.

Regulation and Guideline : IND-생물의약품

제조 공정의 주요 단계를 관리하기 위한 시험 및 허용 기준을 기재한다. 개발 초기 단계(제1상/제2상 임상시험)에는 한정된 자료로 인하여 완전한 정보가 확보되지 않을 수 있다.

공정 반제품에 대해 대기 시간(hold times)이 예견될 경우, 기간 및 보관 조건을 기재하고, 물리화학적, 생물학적 및 미생물학적 특성 측면에서 그 근거가 되는 자료를 제시한다.

여과에 의한 멸균의 경우, 여과 전 최대 미생물 허용 한도를 반드시 기재한다. 대부분의 경우 10 CFU/100ml 이하인 경우 적합하며, 이 한도는 필터의 지름 대비 여과되는 용적에 따라 달라진다. 이 요건을 만족하지 못하면 미생물 수준을 낮추기 위해 세균 여과(bacteria-retainging) 필터를 통과시키는 예비 여과를 사용할 필요가 있다. 활용할 수 있는 의약품이 한정되어 있기 때문에, 근거가 있을 경우 100 ml 미만의 예비/여과 용적을 시험할 수도 있다.

재가공은 단계를 충분히 서술하고 적절하게 그 근거를 밝힐 경우에만 특정 제조 단계(예: 재여과)에 대해서 허용될 수 있다.

Regulation and Guideline : NDA-의약품

Critical Steps: Tests and acceptance criteria should be provided (with justification, including experimental data) performed at the critical steps identified in 3.2.P.3.3 of the manufacturing process, to ensure that the process is controlled.
Intermediates: Information on the quality and control of intermediates isolated during the process should be provided.
Reference ICH Guidelines: Q2A, Q2B, Q6A, and Q6B

주요공정 : 공정관리를 보증하기 위해서 제조공정의 3.2.P.3.3. 제조공정 및 공정관리항에서 확인된 주요공정에서 실시한 시험방법과 기준을 기재한다.
반제품 : 공정 중 반제품에 대한 품질관리 정보를 기재한다.

Regulation and Guideline : NDA-생물의약품

주요공정 : 공정관리를 보증하기 위해서 제조공정의 3.2.P.3.3. 제조공정 및 공정관리항에서 확인된 주요공정에서 실시한 시험방법과 기준을 기재한다.
반제품 : 공정 중 반제품에 대한 품질관리 정보를 기재한다.

Regulation and Guideline : NDA-첨단의약품

NDA-생물의약품과 동일

3.2.P.3.5. 공정 밸리데이션 및 평가 / Process Validation and/or Evaluation

Regulation and Guideline : IND-의약품

이 자료는 식약처장이 인정하는 공정서에 서술되지 않은 비-표준적 멸균 공정과 비-표준적 제조 공정을 제외하고는 개발단계(제1상, 제2상, 제3상 임상시험 단계)에서 요구되지 않는다. 이에 해당되는 경우, 주요 제조 단계, 제조 공정의 밸리데이션, 그리고 적용하고 있는 공정 관리를 서술한다.

Regulation and Guideline : IND-생물의약품

해당될 경우, 무균 공정 및 동결건조의 밸리데이션 현황을 간략하게 서술한다. 멸균 공정의 밸리데이션은 시판 허가된 제품과 동일한 표준으로 실시한다. 특히 완제품의 안전성과 직접 관련된 정보(즉, 미생물 한도 및 배지 충전 운행)를 포함한다.

Regulation and Guideline : NDA-의약품

Description, documentation, and results of the validation and/or evaluation studies should be provided for critical steps or critical assays used in the manufacturing process (e.g., validation of the sterilisation process or aseptic processing or filling). Viral safety evaluation should be provided in 3.2.A.2, if necessary.
Reference ICH Guideline: Q6B

제조공정에서 사용된 주요공정과 주요 분석에 대한 밸리데이션 및 평가의 결과를 상세하게 기재한다(예: 멸균공정, 무균 공정 또는 충전에 대한 밸리데이션). 필요하다면 바이러스성 안전성 평가를 3.2.A.2에 기재한다.

Regulation and Guideline : NDA-생물의약품

제조공정에서 사용된 주요공정과 주요 분석에 대한 밸리데이션 및 평가의 결과를 상세하게 기재한다(예: 멸균공정, 무균 공정 또는 충전에 대한 밸리데이션). 필요하다면 바이러스성 안전성 평가를 3.2.A.2에 기재한다.

Regulation and Guideline : NDA-첨단의약품

NDA-생물의약품과 동일

3.2.P.4. 첨가제의 관리 / Control of Excipients

3.2.P.4.1. 기준 / Specifications

Regulation and Guideline : IND-의약품

식약처장이 인정하는 공정서 규격을 인용하여 기재할 수 있다. 식약처장이 인정하는 공정서 규격의 물질로 구성된 첨가제 혼합물 (예: 필름-코팅용 예비-제조 건식 혼합물)은 혼합물의 일반 기준으로 충분할 것이다. 앞서 언급한 규격에 해당되지 않는 첨가제는 자사 기준(in-house monograph)을 기재한다.

Regulation and Guideline : IND-생물의약품

식약처장이 인정하는 공정서의 기준을 적용할 수 있다. 해당되지 않을 경우 첨가제는 자사 기준을 기재한다.

Regulation and Guideline : NDA-의약품

The specifications for excipients should be provided.
Reference ICH Guideline: Q6A and Q6B

첨가제에 대한 기준(specification)을 기재한다.

Regulation and Guideline : NDA-생물의약품

첨가제에 대한 기준(specification)을 기재한다.

Regulation and Guideline : NDA-첨단의약품

NDA-생물의약품과 동일

3.2.P.4.2. 시험방법 / Analytical Procedures

Regulation and Guideline : IND-의약품

2.S.4.1에서 언급한 약전의 일반시험법을 인용할 수 없는 경우, 사용한 시험방법을 기재한다.

Regulation and Guideline : IND-생물의약품

식약처장이 인정하는 공정서에 수재된 일반시험법이 아닐 경우, 사용한 시험방법을 기재한다.

Regulation and Guideline : NDA-의약품

The analytical procedures used for testing the excipients should be provided, where appropriate.
Reference ICH Guidelines: Q2A and Q6B

필요시 첨가제 시험방법을 기재한다.

Regulation and Guideline : NDA-생물의약품

필요시 첨가제 시험방법을 기재한다.

Regulation and Guideline : NDA-첨단의약품

NDA-생물의약품과 동일

3.2.P.4.3. 시험방법 밸리데이션 / Validation of Analytical Procedures

Regulation and Guideline : IND-의약품

해당사항 없음.

Regulation and Guideline : IND-생물의약품

해당사항 없음.

Regulation and Guideline : NDA-의약품

Analytical validation information, including experimental data, for the analytical procedures used for testing the excipients should be provided, where appropriate.
Reference ICH Guidelines: Q2A, Q2B, and Q6B

사용한 첨가제 시험방법이 분석 밸리데이션이 필요한 경우 실측치를 포함하여 기재한다.

Regulation and Guideline : NDA-생물의약품

사용한 첨가제 시험방법이 분석 밸리데이션이 필요한 경우 실측치를 포함하여 기재한다.

Regulation and Guideline : NDA-첨단의약품

NDA-생물의약품과 동일

3.2.P.4.4. 기준 설정근거 / Justification of Specifications

Regulation and Guideline : IND-의약품

해당사항 없음.

Regulation and Guideline : IND-생물의약품

식약처장이 인정하는 공정서에 첨가제가 수재되어 있지 않을 경우, 자사 기준의 근거를 기재한다.

Regulation and Guideline : NDA-의약품

Justification for the proposed excipient specifications should be provided, where appropriate.
Reference ICH Guidelines: Q3C and Q6B

필요시 첨가제 규격에 대한 설정 근거를 기재한다.

Regulation and Guideline : NDA-생물의약품

필요시 첨가제 규격에 대한 설정 근거를 기재한다.

Regulation and Guideline : NDA-첨단의약품

NDA-생물의약품과 동일

3.2.P.4.5. 사람 또는 동물 유래 첨가제 / Excipients of Human or Animal Origin

Regulation and Guideline : IND-의약품

5.A.2 참조.

Regulation and Guideline : IND-생물의약품

사람 또는 동물 유래 첨가제는, 외래성 물질의 안전성 평가(예: 출처, 기준, 수행한 시험의 내용) 및 바이러스 안전성 자료에 관한 정보를 부록 3.A.2에 기재한다, TSE 인자도 부록 3.A.2장에 기재한다.

사람 알부민이나 혈장 유래 성분이 첨가제로 사용될 경우 외인성 물질의 안전성 평가 관련 자료가 제출되어야 한다. 허가된 제품에 사용된 혈장 유래 성분은 이를 인용할 수 있다.

Regulation and Guideline : NDA-의약품

For excipients of human or animal origin, information should be provided regarding adventitious agents (e.g., sources, specifications; description of the testing performed; viral safety data). (Details in 3.2.A.2).
Reference ICH Guidelines: Q5A, Q5D, and Q6B

사람이나 동물 유래의 첨가제에 대해서 외래성 물질에 관한 정보를 기재한다(예: 기원 및 규격, 실시된 시험에 대한 설명, 바이러스 안전성 시험).

Regulation and Guideline : NDA-생물의약품

사람이나 동물 유래의 첨가제에 대해서 외래성 물질에 관한 정보를 기재한다(예: 기원 및 규격, 실시된 시험에 대한 설명, 바이러스 안전성 시험).

Regulation and Guideline : NDA-첨단의약품

NDA-생물의약품과 동일

3.2.P.4.6. 새로운 첨가제 / Novel Excipients

Regulation and Guideline : IND-의약품

새로운 첨가제는 완제의약품의 안전성과 관련이 있는 제조 공정, 특성 및 관리에 대해 상세하게 기재한다. CTD의 3.2.S장에 따라 annex 2.1.A.3에 각 임상시험 단계에 부합하는 정보를 기재해야 한다 (5.A.3 참조: 예를 들어 제조 공정, 특성 분석 및 안정성에 대한 세부 내용이 포함되어야 한다).

Regulation and Guideline : IND-생물의약품

의약품에 최초 사용하거나 새로운 투여 경로로 사용하는 첨가제는 뒷받침하는 안전성 자료(비임상 및/또는 임상)를 인용하고 원료의약품 서식에 따라 제조, 특성 및 관리에 대해 상세하게 기재한다(세부 내용은 부록 3.A.3 참조).

Regulation and Guideline : NDA-의약품

For excipient(s) used for the first time in a drug product or by a new route of administration, full details of manufacture, characterisation, and controls, with cross references to supporting safety data (nonclinical and/or clinical) should be provided according to the drug substance format. (Details in 3.2.A.3).

완제의약품에 처음으로 사용되거나 새로운 투여경로에 사용되는 첨가제에 대해서는 안전성을 입증하는 자료(비임상시험 및 임상시험자료) 및 제조, 특성, 품질관리에 대한 사항을 원료의약품 양식에 따라 기재한다.

Regulation and Guideline : NDA-생물의약품

완제의약품에 처음으로 사용되거나 새로운 투여경로에 사용되는 첨가제에 대해서는 안전성을 입증하는 자료(비임상시험 및 임상시험자료) 및 제조, 특성, 품질관리에 대한 사항을 원료의약품 양식에 따라 기재한다.

Regulation and Guideline : NDA-첨단의약품

NDA-생물의약품과 동일

3.2.P.5. 완제의약품의 관리 / Control of Drug Product
(임상시험용 의약품의 관리 / Control of Investigational Medicinal Product)

3.2.P.5.1. 기준 / Specifications

Regulation and Guideline : IND-의약품

선택된 출하 및 사용기간 기준(shelf-life specifications)을 제출한다 (시험법 및 허용 기준 포함).

개별 분해 산물과 분해 산물의 합에 대한 상한치를 설정할 수 있다. 안전성 고려사항을 검토해야 하며, 허용치(limits)는 비-임상/임상시험에 사용된 원료의약품 배치의 불순물 프로파일에 근거한다. 기준(specifications) 및 허용 기준 (acceptance criteria)은 이후 개발 과정동안 검토하고 조정되어야 한다.

방사성의약품은 배치 출하 전에 수행한 시험과 회고적으로 수행한 시험을 각각 명시한다. 방사성의약품 조제용 키트의 경우, 적절한 방사성 물질 표지 후 시험을 서술한다.

즉석 조제 의약품(extemporaneously prepared medicinal products)은 조제 후 적합한 품질 규격(acceptable quality standard)을 서술하고 개발 시험(development testing)에 대해 문서화한다.

제2상 및 제3상 임상시험에 대한 추가 정보
선행 제1상 또는 제2상 임상시험에서 설정된 기준 및 허용 기준을 검토해야 하며, 그리고 적절할 경우 현 개발 단계에 맞게 조정한다.

Regulation and Guideline : IND-생물의약품

원료의약품 기준 설정 시 서술한 원칙과 동일한 원칙이 적용한다. 기준에서, 제품의 품질을 충분히 관리할 수 있도록 임상시험에 사용하는 제품의 배치에 대해 사용하는 시험 및 허용 기준을 정의한다. 함량, 확인 및 순도 시험은 필수적이다. 무균 제제는 무균 및 엔도톡신 시험이 필수적이다. 다른 근거가 없는 경우 생물학적 활성 시험이 포함된다. 불순물은 안전성을 고려하여 상한치를 설정한다. 이런 기준들은 후속 개발 과정에서 재검토하고 조정될 필요가 있다.

의약품 품질 속성에 대한 허용 기준은 안전성 고려사항 및 개발 단계를 고려한다. 허용 기준은 일반적으로 한정된 수의 개발 배치와 비임상 및 임상시험에 사용한 배치에 기초하므로, 본질적으로 예비적이다. 이런 기준들은 후속 개발 과정에서 재검토하고 조정할 필요가 있을 수도 있다.

시험방법과 함량 및 생물활성에 대한 한도는 정확한 투여량을 보장한다.

원료의약품 기준에 의해 관리되지 않는 불순물은 안전성을 고려하여 상한치를 설정한다.

제2상 및 제3상 임상시험에 대한 추가 정보
지식과 경험이 쌓이면서 파라미터의 추가 또는 삭제와 시험법의 변경이 필요할 수 있다. 선행 임상시험에서 설정된 기준 및 허용 기준은 제3상 임상시험에 대해 재검토해야 하며, 적절할 경우 현 개발 단계에 맞게 조정한다.

Regulation and Guideline : NDA-의약품

The specification(s) for the drug product should be provided.
Reference ICH Guidelines: Q3B, Q6A and Q6B

완제의약품에 대한 기준을 기재한다.

Regulation and Guideline : NDA-생물의약품

완제의약품에 대한 기준을 기재한다.

Regulation and Guideline : NDA-첨단의약품

NDA-생물의약품과 동일

3.2.P.5.2. 시험방법 / Analytical Procedures

Regulation and Guideline : IND-의약품

기준에 포함된 모든 시험에 대해 시험법을 서술해야 한다 (예: 용출 시험법).
복합 (complex) 또는 혁신 제형의 경우, 구체적 서술이 필요할 수 있다.

Regulation and Guideline : IND-생물의약품

기준에 포함된 모든 시험에 대해 시험법을 서술한다.
일부 단백질 및 복합(complex) 또는 혁신적인 제형의 경우, 보다 높은 수준의 세부 내용에 대한 서술이 필요할 수도 있다.
상세한 요건은 2.S.4.2를 참조한다.

Regulation and Guideline : NDA-의약품

The analytical procedures used for testing the drug product should be provided.

Reference ICH Guidelines: Q2A and Q6B

완제의약품을 시험하는데 사용된 시험방법을 기재한다.

Regulation and Guideline : NDA-생물의약품

완제의약품을 시험하는데 사용된 시험방법을 기재한다.

Regulation and Guideline : NDA-첨단의약품

NDA-생물의약품과 동일

3.2.P.5.3. 시험방법의 밸리데이션 / Validation of Analytical Procedures

Regulation and Guideline : IND-의약품

제1상 임상시험의 경우, 사용된 시험법의 적합성(Suitability)이 확인되어야 한다. 시험방법 밸리데이션을 수행하기 위한 허용 한도(예: 관련성이 있는 불순물 함량 측정에 대한 허용 한도) 및 파라미터(적절할 경우, 특이성, 직선성, 범위, 정확성, 정밀성, 정량한계 및 검출한계)를 표 형식으로 기재한다.

제2상 및 제3상 임상시험에 대한 추가 정보
사용된 시험법의 적합성(Suitability)이 증명되어야 한다. 수행된 밸리데이션의 결과는 요약된 표로 제시되어야 한다 (예: 적절할 경우, 특이성, 직선성, 범위, 정확성, 정밀성, 정량한계 및 검출한계에 대한 결과 또는 수치). 전체 밸리데이션 보고서를 제시할 필요는 없다.

Regulation and Guideline : IND-생물의약품

상세한 요건은 2.S.4.3을 참조한다.

Regulation and Guideline : NDA-의약품

Analytical validation information, including experimental data, for the analytical procedures used for testing the drug product, should be provided.
Reference ICH Guidelines: Q2A, Q2B and Q6B.

완제의약품을 시험하는데 사용된 시험방법에 대한 시험자료를 포함하여 밸리데이션 정보를 기재한다.

Regulation and Guideline : NDA-생물의약품

완제의약품을 시험하는데 사용된 시험방법에 대한 시험자료를 포함하여 밸리데이션 정보를 기재한다.

Regulation and Guideline : NDA-첨단의약품

NDA-생물의약품과 동일

3.2.P.5.4. 뱃치 분석 / Batch Analyses

Regulation and Guideline : IND-의약품

임상시험에서 사용하는 임상시험용의약품의 대표 배치에 대한 결과 또는 시험성적서를 기재한다.
배치 번호, 배치 크기, 제조소, 제조 일자, 관리 방법, 허용 기준 및 시험 결과를 목록으로 작성해야 한다

Regulation and Guideline : IND-생물의약품

최초 기준이 매우 넓을 수도 있지만, 품질 평가는 실제 배치 자료가 중요하다. 정량적 파라미터는 실제 수치를 기재한다.

해당 임상시험에서 사용하려는 배치의 품질을 증명하여야 한다(확립된 예비 기준에 적합). 보통 배치의 수가 한정되어 있다는 특징을 보이는 초기 단계 임상시험의 경우, 해당 임상시험에서 사용하려는 배치에 대한 결과를 포함하여 관련 비임상 및 임상 배치에 대한 결과를 기재한다. 그러나, 생산 이력이 늘어나면, 적절한 근거가 있을 경우 일부 대표 배치의 결과만 제시하더라도 받아들여질 수 있다.

배치의 용도와 함께 배치 번호, 배치 크기, 제조소, 제조일자, 관리 방법, 허용 기준 및 시험 결과를 목록으로 작성한다. 각 배치에 사용한 제조 공정을 확인한다.

Regulation and Guideline : NDA-의약품

A description of batches and results of batch analyses should be provided.
Reference ICH Guidelines: Q3B, Q3C, Q6A, and Q6B

뱃치에 대한 정보와 뱃치 분석의 결과에 대해 기재한다.

Regulation and Guideline : NDA-생물의약품

뱃치에 대한 정보와 뱃치 분석의 결과에 대해 기재한다.

Regulation and Guideline : NDA-첨단의약품

NDA-생물의약품과 동일

3.2.P.5.5. 불순물 특성 / Charterisation of Impurities

Regulation and Guideline : IND-의약품

3.2.S.3.2에서 다루지 않았지만 임상시험용의약품에서 추가로 관찰되는 불순물/분해 산물을 서술한다.

Regulation and Guideline : IND-생물의약품

3.2.S.3.2.장에서 다루지는 않았지만 임상시험용의약품에서 추가로 관찰되는 불순물 및 분해 산물을 확인하고 필요할 경우 정량한다.

Regulation and Guideline : NDA-의약품

Information on the characterisation of impurities should be provided, if not previously provided in "3.2.S.3.2 Impurities".
Reference ICH Guidelines: Q3B, Q5C, Q6A, and Q6B

불순물 특성에 대한 정보는 이전에 3.2.S.3.2 순도항에 기재한 경우 생략할 수 있다.

Regulation and Guideline : NDA-생물의약품

불순물 특성에 대한 정보는 이전에 3.2.S.3.2 순도항에 기재한 경우 생략할 수 있다.

Regulation and Guideline : NDA-첨단의약품

NDA-생물의약품과 동일

3.2.P.5.6. 기준 설정근거 / Justification of Specifications

> **Regulation and Guideline : IND-의약품**
>
> > 제1상 임상시험에서 사용하는 임상시험용의약품은 분해 산물의 기준 및 허용 기준, 그리고 완제의약품의 성능과 관련이 있을 수 있는 모든 기타 파라미터에 대해 간략하게 그 근거를 제시하면 충분할 것이다. 적절할 경우 독성학적 근거를 기재한다.
> >
> > 제2상 및 제3상 임상시험에 대한 추가 정보
> > 유효성 또는 안전성에 영향을 미칠 수 있는 파라미터에 대해 기준과 허용 기준을 선택한 근거를 간략하게 기재한다.
>
> **Regulation and Guideline : IND-생물의약품**
>
> > 원료의약품의 기준에 주로 근거하여 완제품 기준에 포함된 품질 속성의 근거를 기재한다. 품질 속성의 지표가 되는 안정성을 고려한다. 제안된 허용 기준은 그 근거를 밝힌다.
>
> **Regulation and Guideline : NDA-의약품**
>
> > Justification for the proposed drug product specification(s) should be provided.
> > Reference ICH Guidelines: Q3B, Q6A, and Q6B
> >
> > 완제의약품의 기준 설정 근거에 대해 기재한다.
>
> **Regulation and Guideline : NDA-생물의약품**
>
> > 완제의약품의 기준 설정 근거에 대해 기재한다.
>
> **Regulation and Guideline : NDA-첨단의약품**
>
> > NDA-생물의약품과 동일

3.2.P.6. 표준품 및 표준물질 / Reference Standards or Materials

> **Regulation and Guideline : IND-의약품**
>
> > 해당될 경우 표준품의 특성 분석에 대한 파라미터를 제출한다.
> > 해당될 경우 3.2.S.5 표준품 또는 표준물질을 인용할 수 있다.
>
> **Regulation and Guideline : IND-생물의약품**
>
> > 해당될 경우 표준품의 특성 분석에 대한 파라미터를 제출한다.
> > 해당될 경우 3.2.S.5 표준품 또는 표준물질을 인용할 수 있다.
>
> **Regulation and Guideline : NDA-의약품**
>
> > Information on the reference standards or reference materials used for testing of the drug product should be provided, if not previously provided in "3.2.S.5 Reference Standards or Materials".
> > Reference ICH Guidelines: Q6A and Q6B
> >
> > 의약품의 시험에 사용되는 표준품 또는 표준물질에 대한 자료를 기재한다.
> > 3.2.S.5. 표준품 또는 표준물질항에 기재한 경우는 생략할 수 있다.
>
> **Regulation and Guideline : NDA-생물의약품**
>
> > 의약품의 시험에 사용되는 표준품 또는 표준물질에 대한 자료를 기재한다.
> > 3.2.S.5. 표준품 또는 표준물질항에 기재한 경우는 생략할 수 있다.

> NDA-생물의약품과 동일

3.2.P.7. 용기 및 포장 / Container Closure System

Regulation and Guideline : IND-의약품

> 임상시험에서 임상시험용의약품에 사용하려는 1차 포장, 그리고 추가로 완제의약품의 품질과 관련성이 있을 경우 외부 포장(outer packaging)을 서술한다. 적절할 경우, 관련 공정서 규격을 인용한다. 완제의약품을 비-표준적 투여 기구에 담아 포장하거나 공정서 미-수재 물질을 사용할 경우, 성상 및 기준을 기재한다. 충진물(filling)과 '용기 및 포장' 간에 상호작용이 발생할 가능성이 높은 제형(dosage form)은 (예: 비경구제(parenterals), 안과 제제(ophthalmic products), 내용액제(oral solutions)) 상세한 설명이 필요할 수도 있다. 상호작용이 없을 것으로 보이는 제형 (예: 내용고형제(solid oral dosage forms))은 추가 정보를 제공하지 않아도 충분할 수 있다.

Regulation and Guideline : IND-생물의약품

> 임상시험용의약품에 사용하려는 일차 포장을 서술한다. 적절할 경우, 관련 약전 규격을 인용한다. 완제품을 비표준적 투여 기구에 담아 포장하거나, 공정서 미수재 물질을 사용할 경우, 성상 및 기준을 기재한다.
>
> 제품과 용기 및 포장 간에 상호작용의 가능성이 있는 비경구제는 더 상세한 설명이 필요할 수도 있다.

Regulation and Guideline : NDA-의약품

> A description of the container closure systems should be provided, including the identity of materials of construction of each primary packaging component and its specification. The specifications should include description and identification (and critical dimensions, with drawings where appropriate). Non-compendial methods (with validation) should be included where appropriate.
>
> For non-functional secondary packaging components (e.g., those that neither provide additional protection nor serve to deliver the product), only a brief description should be provided. For functional secondary packaging components, additional information should be provided.
>
> Suitability information should be located in 3.2.P.2.

> 각 일차 포장재의 구성재료와 규격을 포함하는 용기 및 포장에 대해 기재한다. 규격에는 개요와 확인방법(필요시 도면을 포함한 주요치수)을 기재한다. 필요시 밸리데이션된 자사시험방법을 기재한다.
>
> 비기능성 이차 포장재(예, 추가적인 보호를 하지 않거나 제품의 운송에 관여하지 않는 포장재)에 대해서는 간단하게 기재한다. 기능성 이차 포장재(운송, 차광과 같은 추가적인 보호)에 대한 정보를 추가적으로 기재한다.
>
> 적합성(Suitability)은 3.2.P.2. 개발경위항에 기재한다.

Regulation and Guideline : NDA-생물의약품

> 각 일차 포장재의 구성재료와 규격을 포함하는 용기 및 포장에 대해 기재한다. 규격에는 개요와 확인방법(필요시 도면을 포함한 주요치수)을 기재한다. 필요시 밸리데이션된 자사시험방법을 기재한다.
>
> 비기능성 이차 포장재(예, 추가적인 보호를 하지 않거나 제품의 운송에 관여하지 않는 포장재)에 대해서는 간단하게 기재한다. 기능성 이차 포장재(운송, 차광과 같은 추가적인 보호)에 대한 정보를 추가적으로 기재한다.
>
> 적합성(Suitability)은 3.2.P.2. 개발경위항에 기재한다.

Regulation and Guideline : NDA-첨단의약품

> NDA-생물의약품과 동일

3.2.P.8. 안정성 / Stability

Regulation and Guideline : IND-의약품

임상시험용의약품의 사용기간은 원료의약품의 안정성 프로파일과 임상시험용의약품에서 수집된 자료에 근거하여 정한다. 외삽(extrapolation)은 안정성시험이 임상시험과 동시에 전체 기간에 걸쳐 실시될 경우 사용될 수 있다. 이 경우 의뢰자는 안정성 시험이 진행되는 동안(during an ongoing study) 사용기간을 연장하는 근거가 되는 기준을 정하여, 사용기간 연장(안)(the proposal for shelf-life extention)을 제출하여야 한다. 안정성시험 이행서약(a stability commitment)도 제출하여야 한다. 뿐만 아니라, 근거가 있을 경우 임상시험용의약품의 적절한 브래케팅 (bracketing) 및 매트릭스 (matrixing) 설계가 허용될 수 있다. 해당 배치는 전체 사용기간 동안 기준 요건을 반드시 충족한다. 안정성 관련 이슈가 발생하면, 규제 당국에 상황과 제안된 모든 시정 조치(corrective action)를 알려야 한다.

재용해(reconstitution), 희석(dilution) 또는 혼합(mixing) 후 수회 사용하는 제제는 개봉-후 사용 안정성 자료(in-use stability data)를 제출한다. 개봉 또는 재용해 후 제제를 바로 사용하거나 불안정성이 제제의 품질에 부정적인 영향을 미치지 않는다고 예측되는 근거가 있을 경우에는 이런 자료가 요구되지 않는다.

방사성의약품의 안정성은 방사성 동위원소의 반감기에도 의존하므로 교정 시점(the time of calibration)을 명시한다.

제1상 임상시험에 대한 정보
제1상 임상시험은 진행 중인 안정성 프로그램이 관련 배치로 수행되며, 임상시험을 시작하기 전에 가속시험과 장기보존시험이 실시될 것이라는 확약해야 한다. 수집된 자료가 있으면, 해당 시험결과를 표 서식으로 요약한다. 개발 연구에서 수집된 근거 자료를 요약 표로 제시한다. 수집된 자료를 평가하고, 임상시험에서 사용하는 임상시험용의약품의 사용기간(안)(the proposed shelf-life)의 근거를 기재한다.

제2상 및 제3상 임상시험에 대한 추가 정보
수집된 안정성 자료를 표 서식으로 기재한다. 수집된 자료를 평가하고, 임상시험에서 사용하는 임상시험용의약품의 사용기간(안)(the proposed shelf-life)의 근거를 기재한다. 자료에는 가속시험과 장기보존시험 결과가 포함되어야 한다.

Regulation and Guideline : IND-생물의약품

임상시험용의약품은 실시간 안정성시험자료, 안정성시험 이행 서약 및 승인 후 연장에 의해 보장되는 사용기간 연장을 포함하여 안정성시험 계획, 안정성시험결과, 사용기간 결정에 대해 원료의약품과 동일한 요건이 적용된다. 안정성시험은 의도하는 보관 기간 동안 임상시험용의약품이 안정하다고 충분히 보장할 수 있어야 한다. 제시된 자료는 제품의 출하부터 임상시험 대상자에게 투여할 때까지 제안된 사용기간을 뒷받침하는 근거가 되어야 한다. 임상시험용의약품의 안정성시험 계획은 원료의약품의 안정성 프로파일에서 얻은 지식을 충분히 고려하여 작성되어야 한다.

근거가 있을 경우, 브래케팅(bracketing) 및 매트릭스(matrixing) 접근법이 허용될 수 있다.

재용해, 희석 또는 혼합 후 사용하려는 제제는 개봉 후 사용(in-use) 안정성 자료를 기재한다. 개봉 또는 재용해 후 제제를 바로 사용할 경우 이런 연구가 요구되지 않는다.

Regulation and Guideline : NDA-의약품

N/A

N/A

Regulation and Guideline : NDA-생물의약품

N/A

Regulation and Guideline : NDA-첨단의약품

NDA-생물의약품과 동일

3.2.P.8.1. 안정성 요약과 결론 / Stability Summary and Conclusion

Regulation and Guideline : IND-의약품

N/A

Regulation and Guideline : IND-생물의약품

N/A

Regulation and Guideline : NDA-의약품

The types of studies conducted, protocols used, and the results of the studies should be summarized. The summary should include, for example, conclusions with respect to storage conditions and shelf-life, and, if applicable, in-use storage conditions and shelf-life.
Reference ICH Guidelines: Q1A, Q1B, Q3B, and Q5C, Q6A

실시한 시험의 종류, 사용한 시험계획서 그리고 시험결과를 요약하여 기재한다. 예를 들어, 보관조건과 사용기간(유효기간)에 대한 결론을 기재하고, 필요시 사용시 보관조건과 사용기간(유효기간)을 포함한다.

Regulation and Guideline : NDA-생물의약품

실시한 시험의 종류, 사용한 시험계획서 그리고 시험결과를 요약하여 기재한다. 예를 들어, 보관조건과 사용기간(유효기간)에 대한 결론을 기재하고, 필요시 사용시 보관조건과 사용기간(유효기간)을 포함한다.

Regulation and Guideline : NDA-첨단의약품

NDA-생물의약품과 동일

3.2.P.8.3. 허가 후 안정성시험 계획 및 이행 서약 / Post-approval Stability Protocol and Stability Commitment

Regulation and Guideline : IND-의약품

N/A

Regulation and Guideline : IND-생물의약품

N/A

Regulation and Guideline : NDA-의약품

The post-approval stability protocol and stability commitment should be provided.
Reference ICH Guidelines: Q1A and Q5C

허가 후 안정성 시험 계획과 이행서약(stability commitment)을 기재한다.

Regulation and Guideline : NDA-생물의약품

허가 후 안정성 시험 계획과 이행서약(stability commitment)을 기재한다.

Regulation and Guideline : NDA-첨단의약품

NDA-생물의약품과 동일

3.2.P.8.3. 안정성 자료 / Stability Data

Regulation and Guideline : IND-의약품

N/A

Regulation and Guideline : IND-생물의약품

N/A

Regulation and Guideline : NDA-의약품

Results of the stability studies should be presented in an appropriate format (e.g. tabular, graphical, narrative). Information on the analytical procedures used to generate the data and validation of these procedures should be included.
Information on characterisation of impurities is located in 3.2.P.5.5.
Reference ICH Guidelines: Q1A, Q1B, Q2A, Q2B and Q5C

안정성 시험결과는 적절한 양식(예: 표, 그래프, 설명)으로 기재한다. 안정성 시험에 사용한 기준 및 시험방법, 밸리데이션 정보가 포함되어야 하나, 다른 항에서 기재한 경우 인용할 수 있다.
불순물 특성에 대한 정보는 3.2.P.5.5. 불순물 특성항에 기재한다.

Regulation and Guideline : NDA-생물의약품

안정성 시험결과는 적절한 양식(예: 표, 그래프, 설명)으로 기재한다. 안정성 시험에 사용한 기준 및 시험방법, 밸리데이션 정보가 포함되어야 하나, 다른 항에서 기재한 경우 인용할 수 있다.
불순물 특성에 대한 정보는 3.2.P.5.5. 불순물 특성항에 기재한다.

Regulation and Guideline : NDA-첨단의약품

NDA-생물의약품과 동일

3.2.A. 부록 / APPENDICES

3.2.A.1. 시설과 장비 / Facilities and Equipment

Regulation and Guideline : IND-의약품

해당 사항 없음.

Regulation and Guideline : IND-생물의약품

해당 사항 없음.

Regulation and Guideline : NDA-의약품

Biotech:
A diagram should be provided illustrating the manufacturing flow including movement of raw materials, personnel, waste, and intermediate(s) in and out of the manufacturing areas. Information

should be presented with respect to adjacent areas or rooms that may be of concern for maintaining integrity of the product.

Information on all developmental or approved products manufactured or manipulated in the same areas as the applicant's product should be included.

A summary description of product-contact equipment, and its use (dedicated or multi- use) should be provided. Information on preparation, cleaning, sterilisation, and storage of specified equipment and materials should be included, as appropriate.

Information should be included on procedures (e.g., cleaning and production scheduling) and design features of the facility (e.g., area classifications) to prevent contamination or cross-contamination of areas and equipment, where operations for the preparation of cell banks and product manufacturing are performed.

생물의약품:
제조소에서 원료물질, 사람, 폐기물, 중간체의 입출을 포함하는 제조흐름을 설명하는 도식을 기재한다. 완제의약품 (product)의 보전성(integrity)을 유지하기 위해 관련된 인접한 작업소나 작업실에 대한 정보를 기재한다.

신청하는 제품과 동일 작업소에서 제조되거나 또는 조작되는 모든 개발 중 또는 이미 허가 받은 제품에 대해 기재한다.

제품과 접촉하는 장비와 사용 구분(전용 장비 또는 공용 장비)을 요약하여 기재한다. 특정 장비와 자재에 대한 준비, 세척, 멸균, 보관에 대한 사항을 적절히 기재한다.

세포은행의 조제와 제품 생산을 위한 작업이 수행되는 작업소과 장비에 대하여 오염 또는 교차오염을 방지하기 위한 절차 (예 : 세척과 생산 일정계획)와 시설의 디자인 특성(예, 작업소 구획)에 대해 기재한다.

Regulation and Guideline : NDA-생물의약품

생물의약품:
제조소에서 원료물질, 사람, 폐기물, 중간체의 입출을 포함하는 제조흐름을 설명하는 도식을 기재한다. 완제의약품 (product)의 보전성(integrity)을 유지하기 위해 관련된 인접한 작업소나 작업실에 대한 정보를 기재한다.

신청하는 제품과 동일 작업소에서 제조되거나 또는 조작되는 모든 개발 중 또는 이미 허가 받은 제품에 대해 기재한다.

제품과 접촉하는 장비와 사용 구분(전용 장비 또는 공용 장비)을 요약하여 기재한다. 특정 장비와 자재에 대한 준비, 세척, 멸균, 보관에 대한 사항을 적절히 기재한다.

세포은행의 조제와 제품 생산을 위한 작업이 수행되는 작업소과 장비에 대하여 오염 또는 교차오염을 방지하기 위한 절차 (예 : 세척과 생산 일정계획)와 시설의 디자인 특성(예, 작업소 구획)에 대해 기재한다.

Regulation and Guideline : NDA-첨단의약품

NDA-생물의약품과 동일

3.2.A.2 외인성 물질에 대한 안전성 평가 / Adventitious Agents Safety Evaluation

Regulation and Guideline : IND-의약품

원료의약품 및 임상시험용의약품의 제조 공정에서 사용하는 모든 사람 또는 동물 유래 물질이나, 제조 공정 동안 원료의 약품 또는 완제의약품과 접촉하는 그런 물질이 있는지 확인한다. 사람 또는 동물 유래 외인성 물질의 잠재적인 오염 측면에서 위험을 평가한 정보를 이 장에 기재한다.

전염성 해면상뇌증 인자(TSE agents)
전염성 해면상뇌증 인자의 회피 및 관리를 위한 세부 정보를 기재한다. 이 정보에는 예를 들어 물질, 공정 및 인자에 대해 적절한, 생산 공정의 확인서 및 관리가 포함될 수 있다.

바이러스 안전성(Viral Safety)
해당될 경우, 잠재적인 바이러스 오염 측면에서 위험을 평가한 정보를 이 장에 기재한 다. 바이러스가 제품에 유입될 수 있는 위험과 제조 공정을 통해 바이러스를 제거하거나 불활화할 수 있는 능력에 대해 평가한다.

기타 외인성 물질(Other Adventitious Agents)
세균, 마이코플라즈마 및 진균과 같은 기타 외래 물질에 관한 세부 정보를 핵심 문서 (core dossier)의 적절한 장에 기재한다.

Regulation and Guideline : IND-생물의약품

제조공정 동안 원료의약품 및 의약품과 접촉하는 그러한 물질이 있는지 확인한다. 사람 또는 동물 유래 외래성 물질의 잠재적인 오염 측면에서 위험을 평가한 정보를 기재한다.

TSE 인자(TSE Agents)
전염성 해면상뇌증 인자의 회피 및 관리를 위한 세부 정보를 기재한다. 이 정보에는 예를 들어 물질, 공정 및 인자에 대해 적절한 생산 공정의 확인서 및 관리가 포함될 수 있다.
 바이러스 안전성(Viral Safety)
해당될 경우, 잠재적인 바이러스 오염 측면에서 위험을 평가한 정보를 기재한다.

기타 외래성 물질(Other Adventitious Agents)
세균, 마이코플라즈마 및 진균과 같은 기타 외래 물질에 관한 세부 정보를 핵심 문서(core dossier)의 적절한 장에 기재한다.

Regulation and Guideline : NDA-의약품

Information assessing the risk with respect to potential contamination with adventitious agents should be provided in this section.

For non-viral adventitious agents:
Detailed information should be provided on the avoidance and control of non-viral adventitious agents (e.g., transmissible spongiform encephalopathy agents, bacteria, mycoplasma, fungi). This information can include, for example, certification and/or testing of raw materials and excipients, and control of the production process, as appropriate for the material, process and agent.
Reference ICH Guidelines: Q5A, Q5D, and Q6B

For viral adventitious agents:
Detailed information from viral safety evaluation studies should be provided in this section. Viral evaluation studies should demonstrate that the materials used in production are considered safe, and that the approaches used to test, evaluate, and eliminate the potential risks during manufacturing are suitable. The applicant should refer to Q5A, Q5D, and Q6B for further guidance.

Materials of Biological Origin
Information essential to evaluate the virological safety of materials of animal or human origin (e.g. biological fluids, tissue, organ, cell lines) should be provided. (See related information in 3.2.S.2.3, and 3.2.P.4.5). For cell lines, information on the selection, testing, and safety assessment for potential viral contamination of the cells and viral qualification of cell banks should also be provided. (See related information in 3.2.S.2.3).

Testing at appropriate stages of production
The selection of virological tests that are conducted during manufacturing (e.g., cell substrate, unprocessed bulk or post viral clearance testing) should be justified. The type of test, sensitivity and specificity of the test, if applicable, and frequency of testing should be included. Test results to confirm, at an appropriate stage of manufacture, that the product is free from viral contamination should be provided. (See related information in 3.2.S.2.4 and 3.2.P.3.4).

Viral Testing of Unprocessed Bulk
In accordance with Q5A and Q6B, results for viral testing of unprocessed bulk should be included.

Viral Clearance Studies
In accordance with Q5A, the rationale and action plan for assessing viral clearance and the results and evaluation of the viral clearance studies should be provided. Data can include those that

demonstrate the validity of the scaled-down model compared to the commercial scale process; the adequacy of viral inactivation or removal procedures for manufacturing equipment and materials; and manufacturing steps that are capable of removing or inactivating viruses. (See related information in 3.2.S.2.5 and 3.2.P.3.5).

Reference ICH Guidelines: Q5A, Q5D, and Q6B

외인성 물질의 잠재적 오염에 대한 위험을 평가하는 정보를 이 항목에 기재한다.

비바이러스성 외인성 물질
비바이러스성 물질(예: 전염성해면상뇌증인자(transmissible spongiform encephal- opathy agents), 세균, 마이코플라스마, 진균)에 대한 방지와 관리방법을 기술한다. 예를 들어 원료물질과 부형제에 대한 증명서 또는 시험결과, 그리고 재료, 공정과 유해인자 측면에서 생산 공정 관리에 대한 사항을 적절하게 기재한다.

바이러스성 외인성 물질
바이러스 안전성 평가에 대한 정보를 자세히 기재한다. 바이러스 평가는 생산에 사용된 물질이 안전하다는 것과 시험, 평가 및 제조과정 중 잠재적인 위험 제거에 대한 접근방법이 적절하였다는 것을 증명해야 한다. ICH Q5A, Q5D 및 Q6B를 참조하도록 한다.

생물 유래 물질
동물이나 사람 유래의 물질들(예: 생물의 체액, 조직, 기관, 세포주)에 대한 바이러스 안전성 평가에 대한 내용을 기재한다(3.2.S.2.3 및 3.2.P.4.5 관련 내용 참조). 세포주의 선별, 시험, 잠재적 바이러스 오염에 대한 안전성 평가와 세포은행의 바이러스 평가에 대해 기재한다(3.2.S.2.3 관련 내용 참조).

적절한 생산 단계에서 시험
제조 과정 중(예: 세포기질, 미정제 벌크 또는 바이러스 제거 시험 후 단계)에 수행하는 바이러스 시험에 대한 선정 근거를 제시하여야 한다. 가능한 범위에서 시험의 종류, 시험의 민감도와 특이성을 기술하고 시험의 빈도를 기재한다. 적절한 제조 단계에서, 제품이 바이러스에 오염되지 않았음을 확인할 수 있는 시험결과를 제출한다(3.2.S.2.4 및 3.2.P.3.4 관련 내용 참조).

미정제 벌크에서의 바이러스 시험
ICH Q5A와 Q6B에 준하여, 미정제 벌크에서의 바이러스 시험결과를 제출한다.

바이러스 제거 연구
Q5A에 준하여, 바이러스 제거 평가를 위한 이론적 근거와 실행 계획을 기술하고, 바이러스 제거 연구의 결과 및 이에 대한 평가를 기재한다. 다음의 사항에 대한 증명 자료가 포함될 수 있다: 생산공정 스케일 대비 스케일-다운 모델에 대한 타당성; 제조 장비 및 재료에 대한 바이러스 불활화 또는 제거 절차의 적절성; 제조 단계들의 바이러스 제거 및 불활화 능력(3.2.S.2.5 및 3.2.P.3.5 관련 내용 참조).

Regulation and Guideline : NDA-생물의약품

외인성 물질의 잠재적 오염에 대한 위험을 평가하는 정보를 이 항목에 기재한다.

비바이러스성 외인성 물질
비바이러스성 물질(예: 전염성해면상뇌증인자(transmissible spongiform encephal- opathy agents), 세균, 마이코플라스마, 진균)에 대한 방지와 관리방법을 기술한다. 예를 들어 원료물질과 부형제에 대한 증명서 또는 시험결과, 그리고 재료, 공정과 유해인자 측면에서 생산 공정 관리에 대한 사항을 적절하게 기재한다.

바이러스성 외인성 물질
바이러스 안전성 평가에 대한 정보를 자세히 기재한다. 바이러스 평가는 생산에 사용된 물질이 안전하다는 것과 시험, 평가 및 제조과정 중 잠재적인 위험 제거에 대한 접근방법이 적절하였다는 것을 증명해야 한다. ICH Q5A, Q5D 및 Q6B를 참조하도록 한다.

생물 유래 물질
동물이나 사람 유래의 물질들(예: 생물의 체액, 조직, 기관, 세포주)에 대한 바이러스 안전성 평가에 대한 내용을 기재한다(3.2.S.2.3 및 3.2.P.4.5 관련 내용 참조). 세포주의 선별, 시험, 잠재적 바이러스 오염에 대한 안전성 평가와 세포은행의 바이러스 평가에 대해 기재한다(3.2.S.2.3 관련 내용 참조).

적절한 생산 단계에서 시험

제조 과정 중(예: 세포기질, 미정제 벌크 또는 바이러스 제거 시험 후 단계)에 수행하는 바이러스 시험에 대한 선정 근거를 제시하여야 한다. 가능한 범위에서 시험의 종류, 시험의 민감도와 특이성을 기술하고 시험의 빈도를 기재한다. 적절한 제조 단계에서, 제품이 바이러스에 오염되지 않았음을 확인할 수 있는 시험결과를 제출한다(3.2.S.2.4 및 3.2.P.3.4 관련 내용 참조).

미정제 벌크에서의 바이러스 시험
ICH Q5A와 Q6B에 준하여, 미정제 벌크에서의 바이러스 시험결과를 제출한다.

바이러스 제거 연구
Q5A에 준하여, 바이러스 제거 평가를 위한 이론적 근거와 실행 계획을 기술하고, 바이러스 제거 연구의 결과 및 이에 대한 평가를 기재한다. 다음의 사항에 대한 증명 자료가 포함될 수 있다; 생산공정 스케일 대비 스케일-다운 모델에 대한 타당성; 제조 장비 및 재료에 대한 바이러스 불활화 또는 제거 절차의 적절성; 제조 단계들의 바이러스 제거 및 불활화 능력(3.2.S.2.5 및 3.2.P.3.5 관련 내용 참조).

Regulation and Guideline : NDA-첨단의약품

NDA-생물의약품과 동일

3.2.A.3 첨가제 / Excipients

Regulation and Guideline : IND-의약품

새로운 첨가제는 CTD의 3.2.S장에 따라 각 임상시험 단계에 부합하는 정보를 기재한다.

Regulation and Guideline : IND-생물의약품

새로운 첨가제는 의약품국제공통기술문서(CTD, Common Technical documents)의 S장에 따라 각 임상시험 단계에 부합하는 정보를 기재한다.

Regulation and Guideline : NDA-의약품

N/A

N/A

Regulation and Guideline : NDA-생물의약품

N/A

Regulation and Guideline : NDA-첨단의약품

NDA-생물의약품과 동일

3.2.A.4. 재용해 및 희석을 위한 용매 / Solvents For Reconstitution And Diluents

Regulation and Guideline : IND-의약품

재용해 및 희석에 사용하는 용매는 CTD 의 3.2.P장에 따라 적용 가능한 관련 정보를 기재한다.

Regulation and Guideline : IND-생물의약품

재용해 및 희석에 사용하는 용매는 의약품국제공통기술문서(CTD, Common Technical documents)의 P장에 따라 적용 가능한 관련 정보를 기재한다.

Regulation and Guideline : NDA-의약품

> N/A

> N/A

Regulation and Guideline : NDA-생물의약품

> N/A

Regulation and Guideline : NDA-첨단의약품

> NDA-생물의약품과 동일

3.2.R 지역별 정보 / Regional Information

Regulation and Guideline : IND-의약품

> N/A

Regulation and Guideline : IND-생물의약품

> N/A

Regulation and Guideline : NDA-의약품

> Any additional drug substance and/or drug product information specific to each region should be provided in section R of the application.   Applicants should consult the appropriate regional guidelines and/or regulatory authorities for additional guidance. Some examples are as follows:
>
> • Executed Batch Records (USA only)
> Method Validation Package (USA only)
> • Comparability Protocols (USA only)
> • Process Validation Scheme for the Drug Product (EU only)
> Where validation is still to be completed, a summary of the studies intended to be conducted should be provided.
> • Medical Device (EU only)

> 원료의약품이나 완제의약품에 대한 지역별 추가 사항은 3.2.R에 기재한다. 신청자는 적절한 가이드라인를 참고하거나, 규제당국과 논의하여야 한다.

Regulation and Guideline : NDA-생물의약품

> 원료의약품이나 완제의약품에 대한 지역별 추가 사항은 3.2.R에 기재한다. 신청자는 적절한 가이드라인를 참고하거나, 식품의약품안전처와 논의하여야 한다.
> 1. 생물학적제제의 경우 "제조 및 품질관리요약서(Summatry Protocol)"

Regulation and Guideline : NDA-첨단의약품

> NDA-생물의약품과 동일

3.3. 참고자료 / LITERATURE REFERENCES

Regulation and Guideline : IND-의약품

> N/A

Regulation and Guideline : IND-생물의약품

> N/A

Regulation and Guideline : NDA-의약품

> Key literature referenced should be provided, if applicable.

> 필요한 경우 참고문헌을 제공한다.

Regulation and Guideline : NDA-생물의약품

> 필요한 경우 참고문헌을 제공한다.

Regulation and Guideline : NDA-첨단의약품

> NDA-생물의약품과 동일

Ⅱ. CTD 양식과 국내 규정간의 대조표

1. 원료의약품 등록과 관련된 품질자료

원료의약품 등록 자료 (『원료의약품 등록에 관한 규정』제4조)	국제공통기술문서(CTD) (『의약품의 품목허가, 신고, 심사규정』별표 3)
1. 법 제31조제1항에 따른 제조·품질관리에 필요한 시설에 관한 자료 『의약품 등의 제조업 및 수입자의 시설기준령』 제3조, 같은 령 시행규칙 제2조 및 제7조의 규정에 적합함을 입증하는 자료	1.7.3 의약품 제조 및 품질관리기준 실시 상황평가 자료
2. 물리·화학적 특성과 안정성에 관한 자료 가. 물리·화학적 특성에 관한 자료 (1) 기원 또는 발견 및 개발경위에 관한 자료 (2) 구조결정·물리화학적 성질 및 생물학적 성질에 관한 자료 (3) 국내·외에서 특허 등을 취득한 경우에는 특허등록 사본 등을 첨부한 자료	3.2.S.1. 일반정보 3.2.S.1.1. 명칭 3.2.S.1.2. 구조 3.2.S.1.3. 일반적 특성 3.2.S.2 제조 3.2.S.2.6 제조공정 개발 3.2.S.3. 특성 3.2.S.3.1. 구조 및 기타 특성 3.2.S.3.2. 순도 1.11. 기타(특허등록 사본 등)
나. 안정성에 관한 자료	3.2.S.7. 안정성 3.2.S.7.1. 안정성 요약과 결론 3.2.S.7.2. 허가 후 안정성시험 계획 및 이행서약 3.2.S.7.3. 안정성 자료
3. 제조방법, 포장, 용기, 취급상의 주의사항 등에 관한 자료 가. 제조방법에 관한 자료	3.2.S.2. 제조 3.2.S.2.1. 제조원 3.2.S.2.2. 제조공정 및 공정관리 3.2.S.2.3. 원료 관리 3.2.S.2.4. 주요공정 및 중간체 관리 3.2.S.2.5. 공정 밸리데이션 및 평가 3.2.S.2.6. 제조공정 개발 3.2.A.부록 3.2.A.2. 외인성물질에 대한 안전성평가

나. 포장·용기에 관한 자료	3.2.S.6. 용기 및 포장
다. 취급상의 주의사항	3.2.S.7. 안정성 3.2.S.7.1. 안정성 요약과 결론
4. 의약품 제조 및 품질관리기준(KGMP)에 맞거나 이와 동등 이상임을 입증하는 자료	1.7.2 제조 및 판매에 관한 증명서 1.7.3 의약품 제조 및 품질관리기준 실시 상황평가 자료
5. 원료의약품의 시험성적서, 분석방법, 사용된 용매 등에 관한 자료 가. 시험성적서는 기준 및 시험방법에 따라서 연속 3로트 이상을 실시한 성적서이어야 한다. 나. 분석방법은 원료의약품에 대한 기준 및 시험방법 다. 제조공정 중 유기용매를 사용한 경우에는 유기용매의 종류, 사용이유, 최종제품의 유기용매 잔류기준, 잔류량 및 시험방법에 관한 자료	3.2.S.3. 특성 3.2.S.3.2. 순도 3.2.S.4. 원료의약품의 관리 3.2.S.4.1. 기준 3.2.S.4.2. 시험방법 3.2.S.4.3. 시험방법 밸리데이션 3.2.S.4.4. 뱃치 분석 3.2.S.4.5. 기준 설정근거 3.2.S.5. 표준품 또는 표준물질

2. NDA와 관련된 품질자료

심사자료의 종류(제5조 관련)	국제공통기술문서의 제출자료(제6조 관련)
1. 기원 또는 발견 및 개발경위에 관한 자료	제1부(신청내용 및 행정정보)
	1.2. 제조판매품목허가신청. 신고서 또는 수입품목허가신청. 신고서 사본
	1.3. 품목허가신청. 신고 자료의 수집. 작성업무를 총괄하는 책임자에 대한 정보 및 진술. 서명 자료
	1.4. 품목허가신청. 신고 자료의 번역 책임자의 진술 및 서명 자료(외국어 자료에 한함)
	1.7. 「의약품 등의 안전에 관한 규칙」 제4조제1항
	1.8. 자료사용 허여, 양도·양수 계약서, 위·수탁계약서 등 증명서류(해당되는 경우에 한함)
	1.9. 비임상시험, 임상시험 등 자료제출 증명서(해당되는 경우에 한함)
	1.10. 첨부문서(안)
	1.11. 기타
	제2부(자료개요 및 요약)
2. 구조결정, 물리화학적 성질에 관한 자료(품질에 관한 자료)	제3부(품질평가자료)
가. 원료의약품에 관한 자료	3.2.S 원료의약품
1) 구조결정에 관한 자료	3.2.S.1 일반정보
2) 물리화학적 성질에 관한 자료	3.2.S.1.1 명칭
	3.2.S.1.2 구조
	3.2.S.1.3 일반적 특성
	3.2.S.3. 특성
	3.2.S.3.1 구조 및 기타특성
	3.2.S.3.2 순도
3) 제조방법에 관한 자료	3.2.S.2.제조
(「의약품 등의 안전에 관한 규칙」 제4조제1항제7호에 의한 등록대상원료의약품의 경우 첨부자료)	3.2.S.2.1 제조자
	3.2.S.2.2 제조공정 및 공정관리
	3.2.S.2.3 원료관리
	3.2.S.2.4 주요공정 및 중간체관리

	3.2.S.2.5 공정밸리데이션 및 평가
	3.2.S.2.6 제조공정개발
4) 자사기준 및 시험방법	3.2.S.4. 원료의약품의 관리
5) 기준 및 시험방법에 관한 근거자료	3.2.S.4.1 기준
6) 시험성적에 관한 자료	3.2.S.4.2 시험방법
	3.2.S.4.3 시험방법의 밸리데이션
	3.2.S.4.4 뱃치분석
	3.2.S.4.5 기준설정근거
7) 표준품 및 시약. 시액에 관한 자료	3.2.S.5. 표준품 또는 표준물질
8) 용기 및 포장에 관한 자료	3.2.S.6. 용기 및 포장
나.. 완제의약품에 관한 자료	3.2.P 완제의약품
1) 원료약품 및 그 분량에 관한 자료	3.2.P.1 완제의약품의 개요와 조성
2) 제조방법에 관한 자료	3.2.P.2 개발경위
	3.2.P.2.1 완제의약품의 조성
	3.2.P.2.1.1 원료의약품
	3.2.P.2.1.2 첨가제
	3.2.P.2.2 완제의약품
	3.2.P.2.2.1 제제개발
	3.2.P.2.2.2 과다투입량
	3.2.P.2.2.3 물리화학적 및 생물학적 특성
	3.2.P.2.3 제조공정 개발
	3.2.P.2.4 용기 및 포장
	3.2.P.2.6 적합성
	3.2.P.3 제조
	3.2.P.3.1 제조자
(「의약품 등의 안전에 관한 규칙」 제4조제1항제6호에 따른 의약품 제조 및 품질관리 실시상황에 관한 자료)	3.2.P.3.2 뱃치조성
	3.2.P.3.3 제조공정 및 공정관리
	3.2.P.3.4 주요공정 및 반제품 관리
	3.2.P.3.5 공정밸리데이션 및 평가

	3.2.P.4 첨가제의 관리
	3.2.P.4.1 기준
	3.2.P.4.2 시험방법
	3.2.P.4.3 시험방법의 밸리데이션
	3.2.P.4.4 기준설정근거
	3.2.P.4.5 사람 또는 동물 유래 첨가제
	3.2.P.4.6 새로운 첨가제
3) 자사기준 및 시험방법	3.2.P.5 완제의약품의 품질관리
4) 기준 및 시험방법에 관한 근거자료	3.2.P.5.1 기준
6) 시험성적에 관한 자료	3.2.P.5.2 시험방법
	3.2.P.5.3 시험방법의 밸리데이션
	3.2.P.5.4 뱃치분석
	3.2.P.5.5 불순물의 특성
	3.2.P.5.6 기준설정근거
	3.2.P.2.5 미생물학적 특성
7) 표준품 및 시약.시액에 관한 자료	3.2.P.6 표준품 또는 표준물질
8) 용기 및 포장에 관한 자료	3.2.P.7 용기 및 포장
3. 안정성에 관한 자료	
가. 원료약품	3.2.S.7. 안정성 자료
나. 완제의약품	3.2.P.8. 안정성 자료
4. 독성에 관한 자료	제4부 비임상시험자료(독성시험)
	4.2.3 독성시험
가. 단회투여독성시험자료	4.2.3.1 단회투여독성시험
나. 반복투여독성시험자료	4.2.3.2 반복투여독성시험
다. 유전독성시험자료	4.2.3.3 유전독성시험
라. 생식발생독성시험자료	4.2.3.5 생식·발생독성시험
마. 발암성시험자료	4.2.3.4 발암성시험
바. 기타독성시험자료	4.2.3.7 기타 독성시험
1) 국소독성시험국소내성시험포함	4.2.3.6 국소내성시험

2) 의존성	4.2.3.7.4 의존성
3) 항원성 및 면역독성	4.2.3.7.1 항원성시험
	4.2.3.7.2 면역독성시험
4) 작용기전	4.2.3.7.3 작용기전 독성시험
5) 대사물	4.2.3.7.5 대사물
6) 불순물	4.2.3.7.6 불순물
7) 기타	4.2.3.7.7 기타
5. 약리작용에 관한 자료	제4부 비임상시험자료(약리시험)
	4.2.1 약리 시험
가. 효력시험자료	4.2.1.1 1차 효력시험
	4.2.1.2 2차 효력시험
나. 일반약리시험자료 또는 안전성약리시험자료	4.2.1.3 안전성약리시험
	4.2.1.4 약력학적 약물상호작용
다. 흡수, 분포, 대사 및 배설시험자료	4.2.2 약동학 시험
1) 분석방법과 밸리데이션 보고서	4.2.2.1 분석방법과 밸리데이션 보고서
2) 흡수	4.2.2.2 흡수
3) 분포	4.2.2.3 분포
4) 대사	4.2.2.4 대사
5) 배설	4.2.2.5 배설
라. 약동학적 약물상호작용 등	4.2.2.6 약동학적 약물상호작용(비임상)
	4.2.2.7 기타 약동학시험
6. 임상시험성적에 관한 자료	제5부 임상시험자료
가. 임상시험자료집	
1) 생물약제학 시험보고서	5.3.1 생물약제학 시험보고서
2) 인체시료를 이용한 약동학과 관련된 시험 보고서	5.3.2 인체시료를 이용한 약동학과 관련된 시험 보고서
3) 약동학(PK) 시험보고서	5.3.3 약동학(PK) 시험보고서
4) 약력학(PD) 시험 보고서	5.3.4 약력학(PD) 시험 보고서
5) 유효성과 안전성 시험 보고서	5.3.5 유효성과 안전성 시험 보고서

6) 시판후 사용경험에 대한 보고서	5.3.6 시판후 사용경험에 대한 보고서
7) 증례기록서 양식과 개별 환자 목록	5.3.7 증례기록서 양식과 개별 환자 목록
나. 가교자료	
7. 외국의 사용현황 등에 관한 자료	1.5. 외국에서의 사용 상황 등에 관한 자료
8. 국내 유사제품과의 비교검토 및 당해 의약품 등의 특성에 관한 자료	1.6. 국내 유사제품과의 비교검토 및 당해 의약품등의 특성에 관한 자료

참고자료

【약사법】 (법률 제20102호)

【첨단재생의료 및 첨단바이오의약품 안전 및 지원에 관한 법률】 (법률 제18853호)

【의약품 임상시험 계획 승인에 관한 규정】 (식품의약품안전처 고시)

【의약품의 품목허가·신고·심사 규정】 (식품의약품안전처 고시)

【생물학적제제 등의 품목허가·심사 규정】 (식품의약품안전처 고시)

【첨단바이오의약품의 품목허가·심사 규정】 (식품의약품안전처 고시)

【원료의약품 등록에 관한 규정】 (식품의약품안전처 고시)

【ICH Guideline M4Q(R1)】

【ICH Guideline Q3A, Q3B】

【ICH Guideline Q5A, Q5B, Q5C, Q5D】

【ICH Guideline Q6A, Q6B】